ŚWIAT W LICZBACH
Ponad 2000
niezwykłych postaci i faktów

**Autorzy tekstów:**
**Steve Martin, Clive Gifford**
**i Marianne Taylor**

**Ilustracje:**
**Andrew Pinder**

**Tłumaczenie z języka angielskiego:**
**Sławomir Stodulski**

**Redakcja i korekta:**
**Katarzyna Jabłońska-Kułak**

**Redakcja techniczna:**
**Artur Czerwiec**

**Projekt okładki:**
**Ola Makowska**

Tytuł oryginału:
*Numberland.*
*The world in over 2000 fugures nad facts*



ISBN 978-83-7660-977-5

Wydawnictwo JEDNOŚĆ
25-013 Kielce, ul. Jana Pawła II nr 4
Dział sprzedaży, tel.: 41 349 50 50
Redakcja, tel.: 41 349 50 00
www.jednosc.com.pl
e-mail: jednosc@jednosc.com.pl

Druk i oprawa:
Drukarnia im. A. Półtawskiego
www.drukarnia.kielce.pl

JEDNOŚĆ
dla dzieci

# Spis treści

**80** samolotów zestrzelił podczas I wojny światowej as niemieckiego lotnictwa – Manfred von Richthofen.

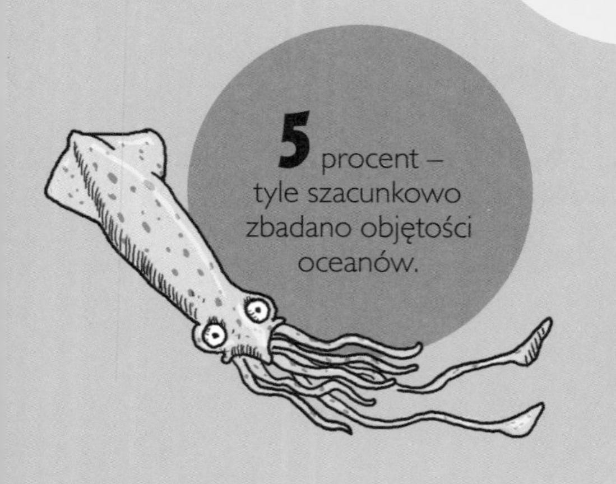

**5** procent – tyle szacunkowo zbadano objętości oceanów.

**4**

**12**

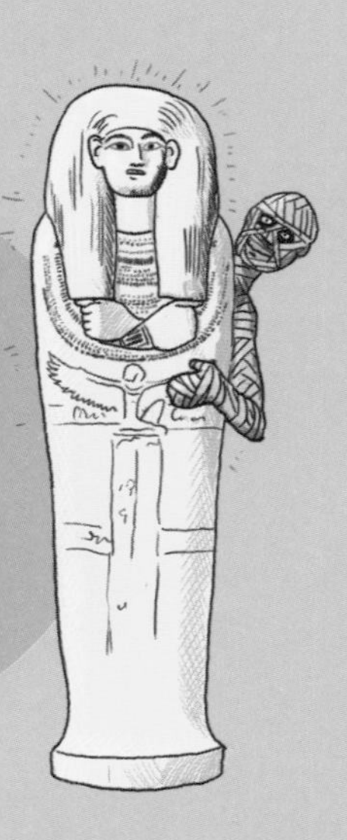

**110,4** kilograma czystego złota zużyto na trumnę faraona Tutenchamona.

84

**500** lat żył mityczny ptak zwany feniksem.

**58** to numer gigantycznych butów, jakie nosił klaun Coco.

42

**50** kilogramów mogła ważyć zbroja średniowiecznego rycerza.

150

# Wprowadzenie

Za chwilę powalą cię niesamowite liczby oraz oszołomią zdumiewające fakty. Jesteś gotowy?

**1** metr długości osiąga kieł morsa.

**21**

Przygotuj się na podróże w czasie i przestrzeni – poprzez wieki, dookoła świata, w świecie zwierząt, a nawet w kosmosie!

**1** garnitur nosił pruski król Fryderyk II, nie licząc wojskowych mundurów.

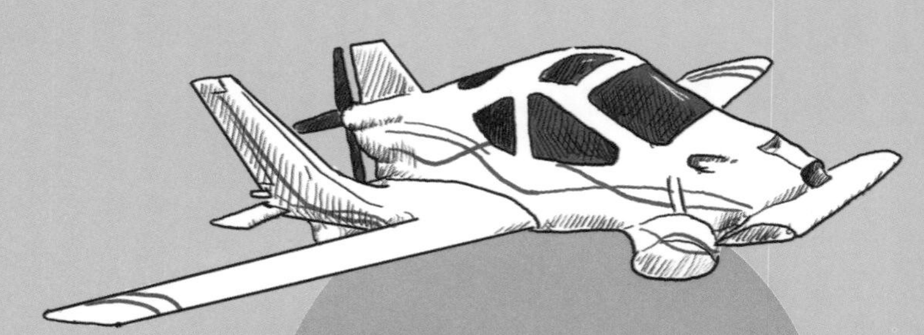

**90** sekund, a nawet mniej, potrzebuje latające auto Terrafugia Transition®, aby po wylądowaniu złożyć skrzydła i włączyć się do ruchu.

**42**

**536** minut – tyle trwał spacer w przestrzeni kosmicznej dwojga astronautów; nazywali się Susan Helms i Jim Voss.

**4**

**59** kilogramów – tyle waży najmniejszy seryjnie produkowany samochód świata.

**Na każdej stronie znajdziesz fascynujące dane, o których pewnie nigdy nie słyszałeś. Możesz nimi zadziwić koleżanki i kolegów. Nieważne, czy tylko przerzucisz następne strony, czy przeczytasz tę książkę od deski do deski, gwarantujemy, że nieraz wyrwie ci się z ust gromkie „Łał!".**

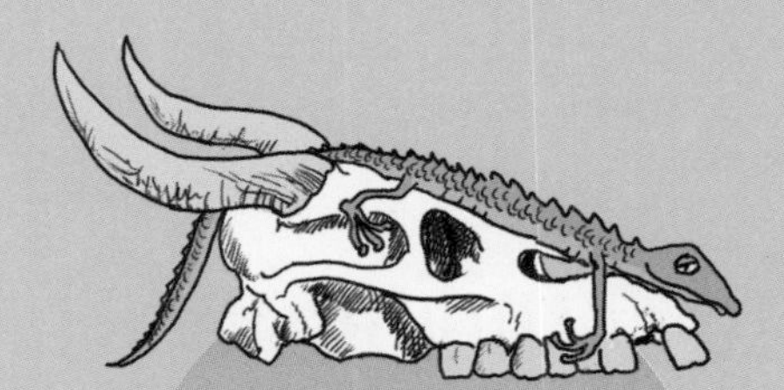

**56,7** stopnia Celsjusza to maksymalna temperatura w Dolinie Śmierci w Kalifornii.

**13**

**Więc na co czekasz? Ruszaj odkrywać świat poprzez liczby.**

**900** gramów – tyle waży największy opisany gatunek afrykańskiego ślimaka.

# Niesamowite skarby

**20** metrów to krawędź sześcianu, w którym zmieściłoby się całe złoto wydobyte dotąd przez ludzi.

**46 milionów** dolarów zapłacił jubiler Laurence Graff za przepiękny brylant znany obecnie jako Róż Graffa.

**100 000** ludzi wyruszyło nad rzekę Klondike w północnej Kanadzie podczas XIX-wiecznej gorączki złota.

**1** kopalnia diamentów w USA pozwala zwiedzającym zostać na jeden dzień poszukiwaczem. W Stanowym Parku Diamentów Crater można samodzielnie kopać i zatrzymać znalezione kamienie.

**105** brylantów powstało z największego w historii diamentu o nazwie Cullinan, znalezionego w Południowej Afryce w 1905 roku. Brylanty te wchodzą obecnie w skład brytyjskich klejnotów koronnych.

**4350** osób wyruszyło w 1540 roku do Ameryki Południowej w poszukiwaniu legendarnego skarbu. Podobno mieszkańcy zaginionego miasta El Dorado wrzucali skarby do jeziora jako ofiarę dla bogów.

**7 590 020** dolarów zapłacono podczas aukcji w 2002 roku za jedną amerykańską złotą monetę bulionową z 1933 roku zwaną Podwójnym Orłem.

**24**-karatowego złota użyto do wykonania pełnowymiarowej muszli klozetowej do wzorcowni firmy Hang Fung Gold Technology Group w Hong Kongu.

**8** spośród **50** oryginalnych inkrustowanych jaj wykonanych przez złotnika Petera Carla Fabergé zaginęło. Wykonane na zlecenie rosyjskiej rodziny carskiej jaja były kunsztownie zdobione. Zaginione klejnoty mają wartość wielu milionów dolarów.

**181** szlachetnych kamieni użyto do dekoracji świątecznej na najdroższej w historii choince.

**100 milionów** dolarów były warte brylanty i inne kosztowności skradzione w Antwerpii podczas słynnego napadu na giełdę diamentów w 2003 roku. Skarbu nigdy nie odzyskano.

**3245** lat leżał spokojnie skarb faraona Tutenchamona, zanim w 1922 roku odkrył go archeolog Howard Carter.

**80** procent światowych zasobów złota wciąż czeka pod ziemią na wydobycie.

**60** krajów świata posiada kopalnie złota.

**6,4** kilograma ważyła największa znaleziona perła.

**600 000** srebrnych monet wyciągnięto z Czarnego Łabędzia, wraku XVII-wiecznego galeonu, który znaleziono w 2007 roku u wybrzeży Hiszpanii.

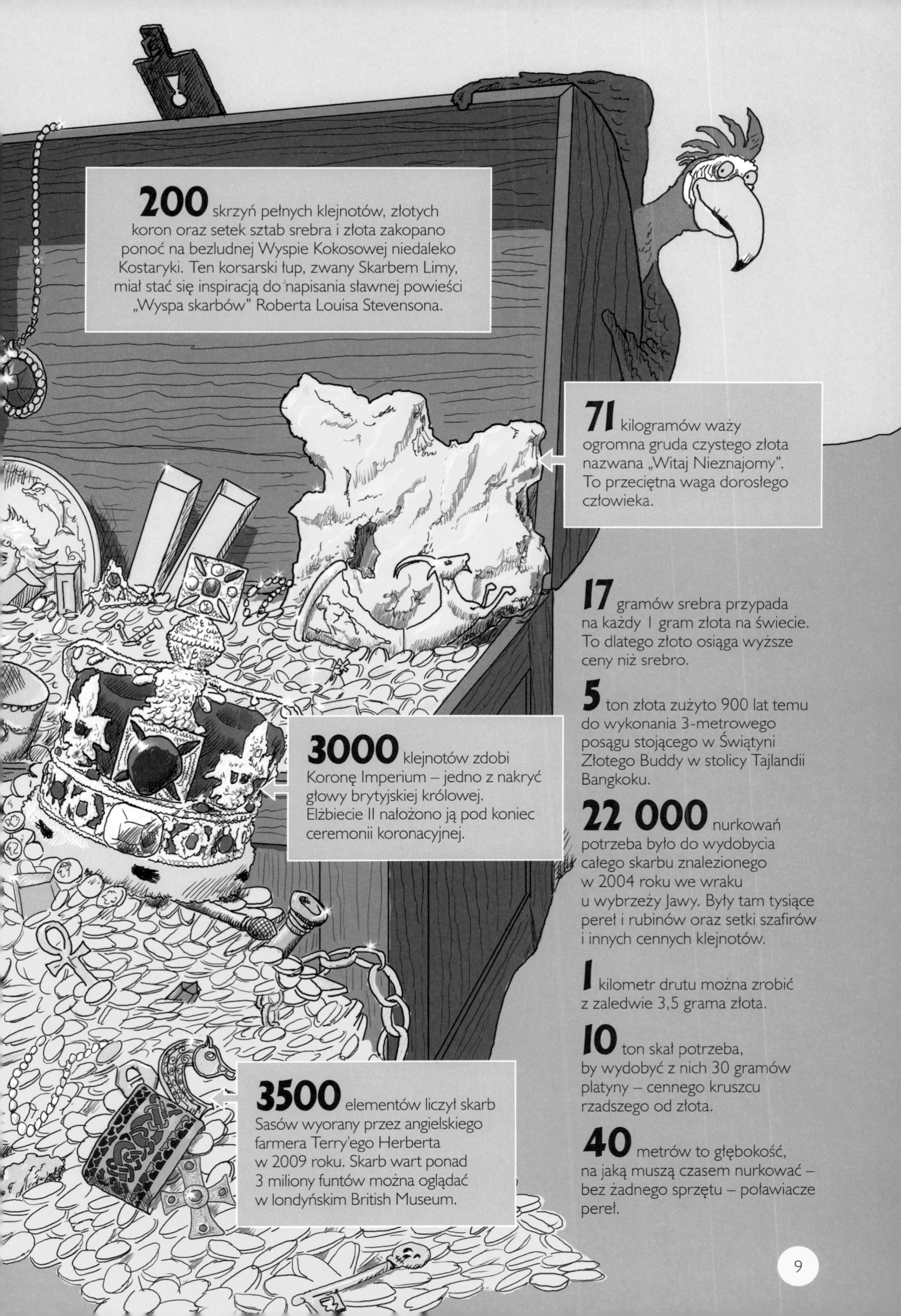

**200** skrzyń pełnych klejnotów, złotych koron oraz setek sztab srebra i złota zakopano ponoć na bezludnej Wyspie Kokosowej niedaleko Kostaryki. Ten korsarski łup, zwany Skarbem Limy, miał stać się inspiracją do napisania sławnej powieści „Wyspa skarbów" Roberta Louisa Stevensona.

**71** kilogramów waży ogromna gruda czystego złota nazwana „Witaj Nieznajomy". To przeciętna waga dorosłego człowieka.

**3000** klejnotów zdobi Koronę Imperium – jedno z nakryć głowy brytyjskiej królowej. Elżbiecie II nałożono ją pod koniec ceremonii koronacyjnej.

**3500** elementów liczył skarb Sasów wyorany przez angielskiego farmera Terry'ego Herberta w 2009 roku. Skarb wart ponad 3 miliony funtów można oglądać w londyńskim British Museum.

**17** gramów srebra przypada na każdy 1 gram złota na świecie. To dlatego złoto osiąga wyższe ceny niż srebro.

**5** ton złota zużyto 900 lat temu do wykonania 3-metrowego posągu stojącego w Świątyni Złotego Buddy w stolicy Tajlandii Bangkoku.

**22 000** nurkowań potrzeba było do wydobycia całego skarbu znalezionego w 2004 roku we wraku u wybrzeży Jawy. Były tam tysiące pereł i rubinów oraz setki szafirów i innych cennych klejnotów.

**1** kilometr drutu można zrobić z zaledwie 3,5 grama złota.

**10** ton skał potrzeba, by wydobyć z nich 30 gramów platyny – cennego kruszcu rzadszego od złota.

**40** metrów to głębokość, na jaką muszą czasem nurkować – bez żadnego sprzętu – poławiacze pereł.

# Odrażające dania

**900** różnych smaków można spróbować w lodziarni w Wenezueli. Najdziwniejsze lody smakują jak spaghetti lub dojrzały ser.

**40** metrów wysokości osiąga drzewo o nazwie durian właściwy. Jego owoce mają tak nieprzyjemny zapach, że zakazano ich sprzedaży w wielu krajach Azji.

**70 000** wysuszonych owadów, czerwców, trzeba zmielić, by otrzymać 450 gramów karminy, czerwonego barwnika dodawanego do żywności

**50** dolarów trzeba zapłacić za filiżankę najdroższej kawy świata. Kawę kopi luwak robi się z owoców kawowca zjedzonych i wydalonych przez małego ssaka zwanego łaskunem muzangiem.

**37,8** stopni Celsjusza to temperatura, w jakiej topi się woskowata substancja zwana lanoliną, którą można znaleźć w owczym runie. Lanolina jest składnikiem między innymi gumy do żucia.

**36** karaluchów zjadł w ciągu minuty rekordzista Ken Edwards.

**2** prace uznawane za najgorsze w historii wykonywali niewolnicy podczas uczt w starożytnym Rzymie. Plwociniarz ścierał z podłogi to, co wypluli ucztujący, natomiast wymiociniarz musiał zbierać zwrócone potrawy.

**11,3** metra długości miał tasiemiec wyciągnięty z wnętrzności Sally Mae Wallace. Larwy tasiemca mogą znajdować się w niedogotowanym mięsie. Pasożyt przyczepia się do wnętrza jelita i rośnie, aż strach!

**100**-letnie jaja to chiński przysmak. Jajka konserwuje się w roztworze soli, wapna i popiołu (choć wcale nie przez sto lat), aż żółtko zzielenieje i zacznie pachnieć siarką.

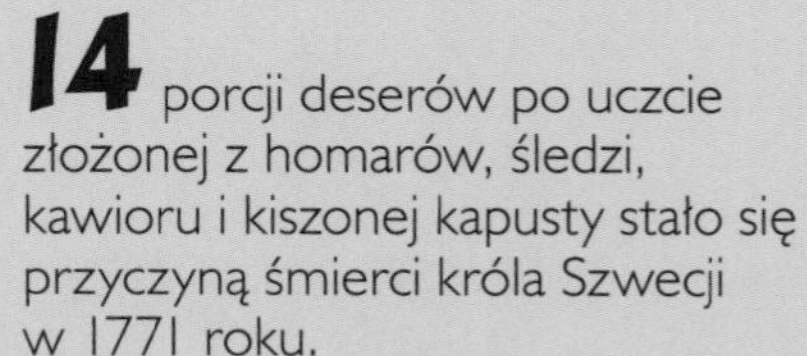

**26 470** dolarów kary zapłacił producent bochenka chleba, w którym znaleziono zapieczoną mysz.

**14** porcji deserów po uczcie złożonej z homarów, śledzi, kawioru i kiszonej kapusty stało się przyczyną śmierci króla Szwecji w 1771 roku.

**7** gatunków dostępnych w sprzedaży żelków uznaje się za najbardziej odrażające: straszydła, śmieciowe, wymiociny, woskowinowe, dżdżownicowe, zepsute jaja i mydlane.

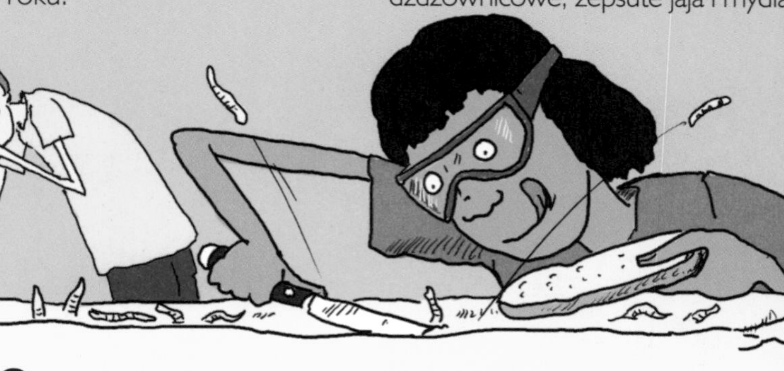

**8** milimetrów to długość, jaką osiągają żywe larwy robaków w serze Casu Marzu. Larwy wiercą sobie otwory w serze, a podrażnione mogą z niego wyskoczyć. Zakażone larwami sery są tak odrażające, że zabroniono ich sprzedaży, lecz amatorzy tej tradycyjnej sardyńskiej potrawy nic sobie nie robią z zakazu.

**7,5** centymetra osiąga karaczan madagaskarski. Te chrupiące chrząszcze serwuje się w kuchni amerykańskiej z miodem i sosem sojowym.

**500** oskubanych ptaków zwanych alkami trzeba zawinąć w foczą skórę, by po paru miesiącach otrzymać grenlandzką potrawę zwaną kiviak. Tradycja nakazuje odgryźć ptasi łebek i wyssać to, co się upitrasiło w środku.

**3** rozmiary żywych krabów – małe, średnie lub duże – można kupić w chińskich automatach.

**107,1** decybela to najgłośniejsze zarejestrowane beknięcie, wydał je Paul Hunn w 2008 roku. Traktor na polu jest cichszy od niego.

**1** litr zwierzęcej krwi jest zużywany na pudding dla czterech osób. To tradycyjny brytyjski przysmak śniadaniowy – do krwi dodaje się tłuszcz, cebulę, płatki owsiane, zioła i masło.

**15** gatunków sera wzięło udział w naukowym badaniu, które miało wyłonić najmocniej śmierdzący ser świata. Zwycięzcą został francuski produkt o nazwie Vieux Boulogne.

**25** centymetrów długości mają drewniane szpikulce, na które nadziewa się amerykańskie szaszłyki z aligatora.

**2** zwierząt trzeba było do przyrządzenia średniowiecznej potrawy zwanej bazyliszkiem z rożna. Bazyliszek to mityczny stwór – pół wieprz, pół kogut.

**2** filiżanki kaczej krwi to, oprócz bulionu, główny składnik staropolskiej zupy, czerniny.

**4–6** tygodni trzyma się na Alasce zagrzebane łby łososi przed podaniem na stół. Danie z przegniłych ryb nazywa się tu „śmierdliną".

**14** razy na dobę wydalane są średnio gazy jelitowe u człowieka. Wyjątkowy, hmm… aromat uzyskuje się, jedząc fasolę, kapustę, sery i jaja.

**191** stopni Celsjusza to temperatura oleju, w którym smaży się szkocki przysmak – czekoladę na głębokim tłuszczu. Żeby tabliczka czekolady się nie rozpuściła, zanurza się ją przedtem w cieście.

**2** popularne aromaty – malinowy i waniliowy – wytwarza się z substancji zwanej kastoreum, czyli wydzieliny z bobrzego odbytu. Nadaje ona odpowiedni smak cukierkom, lodom, żelkom i jogurtom.

**30** kawałków owadów na 100 g masła orzechowego dopuszcza urzędowa norma w USA. Chrupkiego smacznego!

**60** procent białka zawiera odżywcze meksykańskie danie escamoles. Smakuje też nieźle… dopóki nie wie się, że to mrówcze jaja.

# Księżyc

**27,3** dnia zajmuje pełny obrót Księżyca wokół własnej osi oraz po orbicie wokół Ziemi. To dlatego oglądamy go zawsze z tej samej strony.

**107** stopni Celsjusza to maksymalna temperatura powierzchni Księżyca oświetlonej światłem słonecznym. Dość by zagotować wodę, gdyby tam oczywiście była.

**384 400** kilometrów to średnia odległość Księżyca od Ziemi.

**3,8** centymetra – o tyle co roku oddala się Księżyc od naszej planety.

**9** lat zająłby spacer na Księżyc ze średnią prędkością 4,8 kilometra na godzinę.

**4,5 miliarda** lat to wiek naszego Księżyca.

**442 500** dolarów zapłacono w 1993 roku za próbkę pyłu księżycowego o wadze zaledwie 0,2 grama.

**1,3** sekundy trwa podróż do naszych oczu światła odbitego od powierzchni Księżyca.

**2** przypływy dziennie na każdej plaży to efekt oddziaływania grawitacji Księżyca na ziemskie oceany.

**20** sekund – na taki czas manewrowania zostało paliwa w statku Apollo 11, gdy wylądował na Księżycu po 4-dniowym locie.

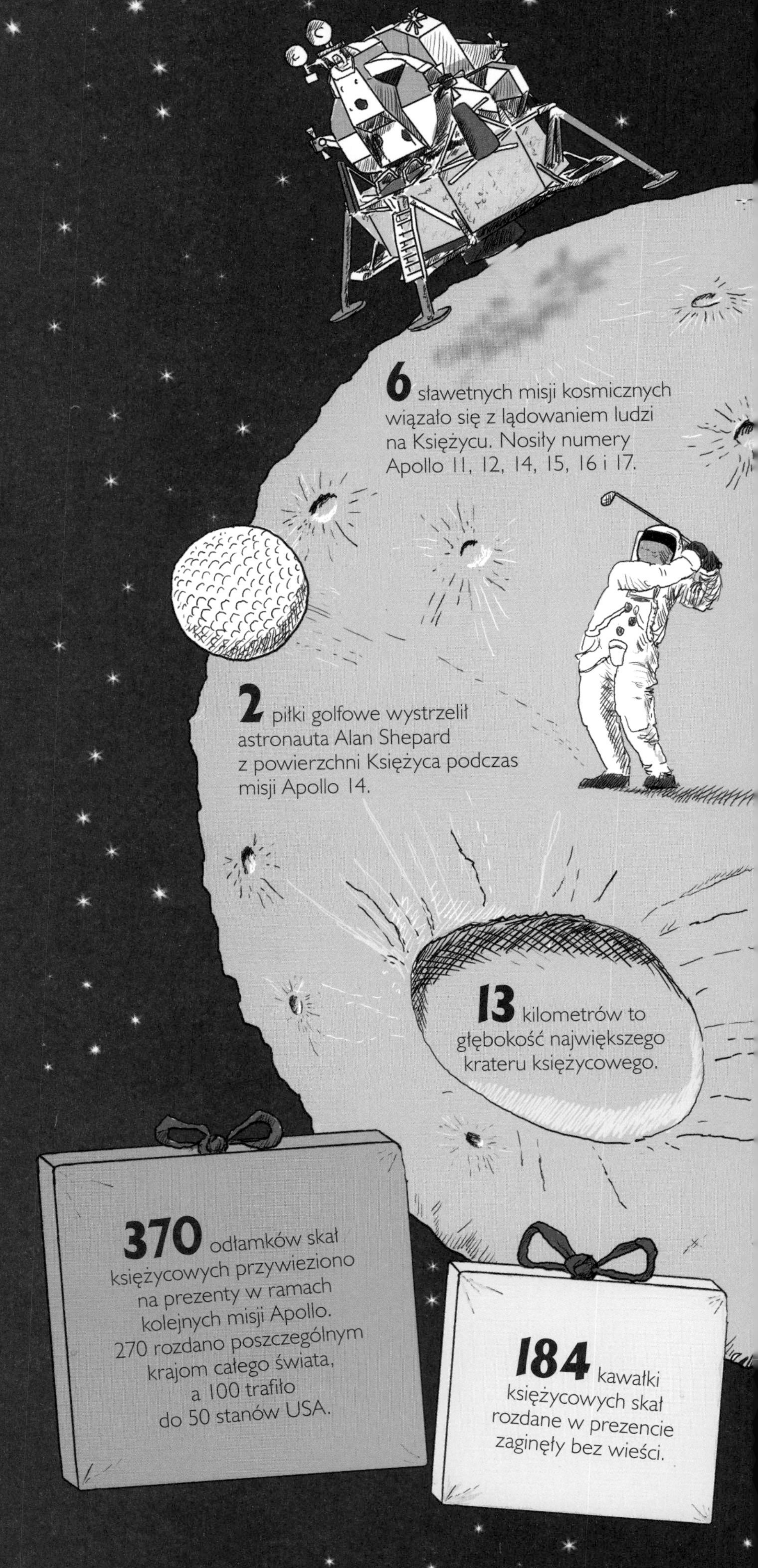

**6** sławetnych misji kosmicznych wiązało się z lądowaniem ludzi na Księżycu. Nosiły numery Apollo 11, 12, 14, 15, 16 i 17.
**2** piłki golfowe wystrzelił astronauta Alan Shepard z powierzchni Księżyca podczas misji Apollo 14.
**13** kilometrów to głębokość największego krateru księżycowego.
**370** odłamków skał księżycowych przywieziono na prezenty w ramach kolejnych misji Apollo. 270 rozdano poszczególnym krajom całego świata, a 100 trafiło do 50 stanów USA.
**184** kawałki księżycowych skał rozdane w prezencie zaginęły bez wieści.

„I mały krok dla człowieka, olbrzymi skok dla ludzkości.
To komentarz Neila Armstronga, pierwszego astronauty, który postawił stopę na Księżycu.

**3** łaziki księżycowe służyły astronautom do poruszania się po naszym satelicie.

**4700** metrów to wysokość Mons Huygens, najwyższego szczytu na Księżycu (trochę ponad połowa Mount Everest).

**13** procent ankietowanych w 1988 roku było przekonanych, że Księżyc zbudowany jest z… sera!

**3474** kilometry to średnica Księżyca. Średnica Ziemi jest ponad 3,5 raza większa – wynosi 12 742 km.

**4** fazy Księżyca składają się na pełny cykl: nów, pierwsza kwadra, pełnia, ostatnia kwadra. Potem Księżyc niknie podczas nowiu i cała zabawa zaczyna się od początku.

**6** kilogramów na Ziemi jest równe tylko jednemu kilogramowi na powierzchni Księżyca.

**2500** kilometrów średnicy ma największy krater na Księżycu.

**29,5** dnia trwa miesiąc synodyczny, czyli przejście od jednej pełni Księżyca do następnej.

**72,5 miliona** kilometrów pokonuje Ziemia w drodze wokół Słońca w czasie jednego obrotu Księżyca wokół naszej planety.

**–233** stopnie Celsjusza to najniższa temperatura na Księżycu – na dnie kraterów, gdzie nigdy nie docierają promienie słońca.

**4** księżyce krążące wokół innych planet Układu Słonecznego są większe od „naszego".

**50** kul wielkości Księżyca zmieściłoby się w Ziemi (gdyby była pusta w środku).

# Matki i ich dzieci

**1** samica warana amerykańskiego wystarczy do założenia nowej kolonii, gdyż ten gatunek może rozmnażać się bez udziału samców.

**5** lat troskliwej opieki sprawuje nad potomstwem matka orangutana.

**30** młodych diabłów tasmańskich potrafi urodzić się w jednym miocie, ale matka ma tylko 4 sutki, więc większość zginie z głodu, przetrwają najsilniejsze.

**3** miesiące spędzają młode niedźwiadki polarne w śnieżnej jamie wykopanej przez matkę. Pierwszy raz oglądają świat dopiero wiosną.

**50** procent mleka wielorybiego to tłuszcz.

**31,7** do **34,5** stopnia Celsjusza to temperatura, w jakiej musi leżeć krokodyle jajo, by wykluł się samiec. Jeśli będzie inna, wykluje się samiczka.

**29** jaj zniesionych przez pewną kuropatwę to największa liczba ptasich jaj znaleziona dotąd w jednym gnieździe.

**1500** małych koników morskich przychodzi naraz na świat. W tym gatunku ryb to samiec odpowiada za ich urodzenie.

**3,5** roku trwa ciąża chlamidy – gatunku prymitywnego rekina.

**35 000** jaj może złożyć za jednym razem ropucha olbrzymia.

**85** procent to proporcja przypadków, gdy samica molosa odnajduje własne dziecko wśród paru tysięcy młodych wiszących razem w jaskini. W pozostałych przypadkach karmi potomka innych nietoperzy.

**4** młode w każdym miocie pancernika długoogonowego to genetycznie identyczne czworaczki.

**85** gramów to waga noworodka pandy olbrzymiej. To zaledwie 0,13 procent wagi matki.

**6** centymetrów mierzy dorosła żaba arlekin. Gdy była jeszcze kijanką, miała długość aż 16,8 cm.

**8** metrów mierzy noworodek płetwala błękitnego. Waży po urodzeniu 2700 kilogramów. Gdy dorośnie, może osiągnąć nawet 30 metrów długości i wagę 81 ton.

**1** jajo składa rzekotka kubańska. Za to opiekuje się nim z wielką troską.

**25** małych skorpioników mieści się na grzbiecie matki. Skorpionica nosi je wszędzie dla bezpieczeństwa.



**2** młode orliki malajskie wykluwają się w każdym gnieździe, ale niemal zawsze starszy pożera młodszego.

**1** rok zajmuje u skorków troska o młode. Mama-skorek żyje średnio tylko dwa razy dłużej.

**161** fok uchatek w jednej kolonii może mieć młode z tym samym samcem.

**1** gatunek ssaków znany jest z tego, że mlekiem karmią w nim samce. To malajski nietoperz rudawkowaty.

**14** miotów rocznie wydaje na świat samica myszy polnej. Średnio w każdym miocie rodzi się 7 młodych.

**1,8** metra wzrostu ma noworodek żyrafy.

**4** młode rodzi średnio samica salamandry czarnej po trwającej 38 miesięcy ciąży. Z początku rozwija się nawet 60 zarodków, ale pod koniec ciąży najstarsze pożerają wszystkie pozostałe.

**20 000** piskląt pingwinów cesarskich może liczyć jedna kolonia pod opieką samców. Gdy matki wrócą z polowania, muszą w tej ciżbie odnaleźć swoje młode.

**3** miesiące samica kraba ananasowego chroni i karmi swoje młode – inne gatunki krabów w ogóle nie troszczą się o potomstwo.

**5** tygodni musi przeżyć młoda przepiórka, by sama mogła mieć potomstwo.

# Słynne uczty

**65** jaj na twardo zjadła w ciągu 6 minut i 40 sekund rekordzistka Sonya Thomas.

**20 000** osób obrzuca się 120 tonami pomidorów w trakcie dorocznego święta w hiszpańskim Buñol.

**3600** kilogramów kryla (małych stworzonek podobnych do krewetek) zjada dziennie płetwal błękitny.

**6464** kilogramów pierników zużył mistrz cukiernictwa Roger Pelcher na budowę naturalnych rozmiarów domku z piernika. Przydało się też 2155 kilogramów polewy, 1800 tabliczek czekolady i tysiące cukierków.

**12** dań przedstawiających znaki Zodiaku podano na uczcie opisanej w dziele starorzymskiego autora „Satyricon". Wśród potraw znalazła się koszatka, zając z doprawionymi skrzydłami oraz całe cielę z hełmem na łbie.

**269** słoniom trzeba było przygotować 50 ton owoców i warzyw na czas parady zorganizowanej w Tajlandii w 2003 roku.

**42** kanapki z masłem orzechowym i dżemem pochłonął w ciągu zaledwie 10 minut Patrick Bertoletti w 2007 roku.

**6014** gości może pomieścić syryjska restauracja przy Bramie Damasceńskiej. Rezerwacja stolika nie jest tu konieczna.

**50 000** kilogramów ryb zjadają uczestnicy Święta Śledzia odbywającego się co roku, na koniec sezonu połowów, w stolicy Finlandii Helsinkach.

**45** milionów indyków zjadają Amerykanie w jeden dzień – Święto Dziękczynienia.

**22 295** dostojnych gości zjechało na Bankiet Merów do Paryża w 1900 roku. Do przygotowania kolacji zatrudniono 3600 wybitnych kucharzy.

**24** godziny zajmował starożytnym Rzymianom transport świeżych ostryg z północno-zachodniej Galii do stolicy dzięki sieci wózków z lodem. Świeże ostrygi uznawano za przysmak.

**7395** metrów nad ziemią spożyło kolację 3 ubranych w stroje wieczorowe pasażerów angielskiego balonu w 2005 roku. Choć na tej wysokości panuje temperatura około -50 stopni Celsjusza, dżentelmeni zjedli łososia gotowanego na parze.

**4** różne mięsiwa wchodzą w skład głównego dania uczty weselnej u Beduinów. Podaje się pieczonego wielbłąda faszerowanego całym jagnięciem z kurczakami faszerowanymi rybami i jajami na twardo w środku. Uff!

**30** minut zajmowało brytyjskiej królowej Wiktorii spożycie siedmiu dań podczas bankietu. Ponieważ wszystkie talerze zabierano, gdy tylko królowa skończyła jeść, goście musieli starać się dotrzymać jej kroku.

**1** kielich wina wystarczył królowej egipskiej Kleopatrze do wygrania zakładu z Rzymianami o to, kto wyda najkosztowniejszą ucztę. Królowa rozpuściła najcenniejszą posiadaną perłę w winie i wypiła ją.

**60,3** metra mierzył najdłuższy pojedynczy hot dog wykonany przez japońskie stowarzyszenie masarzy Shizuoka. To jakby położyć 34 osoby jedna za drugą.

**600** strusi było potrzebnych do zapieczenia mięsa w cieście na ucztę, którą wydał rzymski cezar Elagabalus.

**10** ton ważyła potrawa curry przygotowana jednorazowo w angielskiej restauracji Eastern Eye.

**2000** jagniąt upieczono podczas uroczystości spotkania królów Anglii i Francji. Uczta wydana na Polu Złotogłowia w 1520 roku ciągnęła się przez miesiąc.

**9852** grzanki posłużyły do budowy gigantycznej mozaiki przedstawiającej kobiecą twarz. Sztuka polegała na takim opiekaniu kawałków chleba, by powstały różne odcienie: od bieli przez jasno i ciemnobrązowe aż do czarnego.

**4** kilometry miała całkowita długość stołów podczas ulicznego święta w Chinach w 2008 roku. Na potrzeby ucztujących złączono ze sobą 3050 stołów.

**9137** litrów kawy może pomieścić gigantyczny dzbanek w Las Vegas. Można z niego rozlać ponad 32 tysiące kubków tego napoju.

**32 681** osób zasiadło równocześnie do ceremonii picia herbaty podczas wielkiego święta herbacianego w Indiach.

**7500** odmian jabłek uprawia się na świecie.

**7** kilogramów czosnku należało zapłacić za zdrowego i silnego niewolnika w starożytnym Egipcie. To dowodzi, jak cenny był wówczas czosnek!

**37,4** metra średnicy miała pizza upieczona w 1990 roku w Afryce Południowej. W poprzek placka można było ustawić 4 autobusy.

# Europa

**10** krajów europejskich to monarchie. Koronowaną głową państwa mogą się pochwalić: Belgia, Dania, Liechtenstein, Luksemburg, Monako, Holandia, Norwegia, Hiszpania, Szwecja i Wielka Brytania.

**1500** różnych rodzajów kiełbas jada się w Niemczech.

**7** krajów ma na swoim terytorium część łańcucha alpejskiego: Szwajcaria, Austria, Włochy, Liechtenstein, Niemcy, Francja i Słowenia.

**227** zamieszkanych wysp należy do Grecji, jak również terytorium na kontynencie oczywiście.

**5642** metry n.p.m. to wysokość góry Elbrus w rosyjskim Kaukazie. To najwyższy szczyt Europy.

**26** procent terytorium Holandii, zamieszkane przez 60 procent ludności, leży poniżej poziomu morza. Przed zalaniem chronią je nadbrzeżne tamy i groble o łącznej długości 2400 kilometrów.

**2,25 miliarda** ziaren różnych roślin zmagazynowano na wyspie Svalbard, na dalekiej północy Norwegii. W temperaturze -18 stopni Celsjusza ziarna mogą leżeć setki, a nawet tysiące lat. Dzięki nim cały świat roślinny można będzie odtworzyć w razie jakiejś globalnej katastrofy.

**1 milion** to najbardziej prawdopodobna liczba podwodnych pali, na których wspiera się konstrukcja kościoła Matki Bożej Zbawicielki w Wenecji. Na palach wbitych w dno laguny zbudowano całe północnowłoskie miasto.

**50** państw leży na kontynencie europejskim.

**53** procent Europejczyków zna więcej języków niż tylko ojczysty.

**6** krajów europejskich uznaje język niemiecki za oficjalny: Niemcy, Szwajcaria, Austria, Luksemburg, Belgia i Liechtenstein.

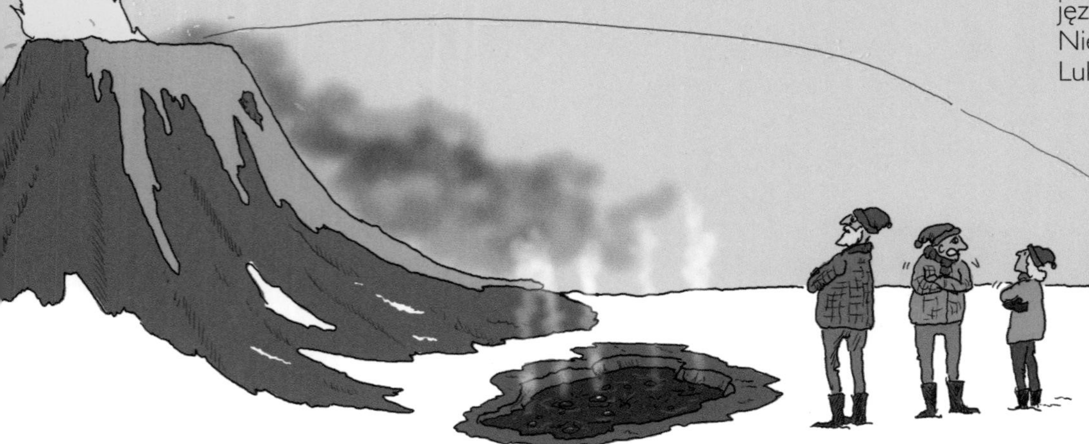

**35** aktywnych wulkanów można zobaczyć na Islandii.

**3** europejskie państwa nadal mają lewostronny ruch drogowy: Wielka Brytania, Irlandia i Cypr.

**400** statków dziennie przepływa Cieśninę Kaletańską, która oddziela Anglię od kontynentu.

**8400** kilometrów kwadratowych to powierzchnia Vatnajokull, czyli największego lodowca w Europie. Leży on na Islandii i jego średnia grubość lodu wynosi około 900 metrów.

**56** procent wody, z której korzystają mieszkańcy śródziemnomorskiej wyspy Malty, trzeba odsalać z wody morskiej. Na wyspie nie płynie ani jedna rzeka.

**225** językami mówi się w krajach europejskich.

**90** procent powierzchni Europy pokrywały kiedyś lasy. Dziś to zaledwie jedna trzecia.

**100** procent ciepła i elektryczności na Islandii pochodzi ze źródeł odnawialnych. Większość to energia wodna, ale część ciepła pochodzi z wnętrza Ziemi – to tak zwana energia geotermalna.

**17** milionów kilometrów kwadratowych mierzy Rosja, największy kraj europejski.

**0,44** kilometra kwadratowego to powierzchnia państwa watykańskiego.

W Europie leży więc zarówno największe, jak i najmniejsze państwo świata.

**10** państw graniczy z Niemcami: Dania, Czechy, Austria, Liechtenstein, Polska, Szwajcaria, Francja, Luksemburg, Belgia i Holandia.

**0** pustyń jest w Europie, co oznacza, że to jedyny pozbawiony pustyń kontynent.

**3530** kilometrów długości ma rzeka Wołga od źródeł po ujście do morza. To najdłuższa rzeka Europy.

**4** kraje europejskie mają część swego terytorium poza kołem podbiegunowym: Rosja, Norwegia, Szwecja i Finlandia.

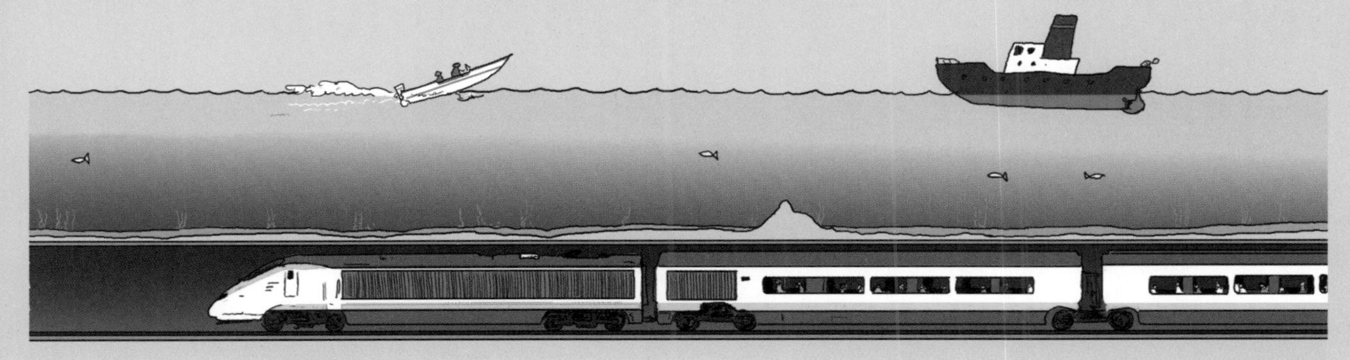

**50** kilometrów długości ma tunel kolejowy, zwany Eurotunelem, łączący Anglię i Francję. Przez 38 kilometrów przebiega pod dnem morskim.

# Titanic

**269,1** metra to długość Titanica – więcej niż dwa i pół boiska piłkarskiego.

**3423** worki na listy i paczki przewożono na pokładzie Titanica. Zajmowało się nimi pięciu pracowników okrętowego urzędu pocztowego.

**94** procent kobiet i dzieci podróżujących pierwszą klasą przeżyło zatonięcie statku.

**22,5** węzła (41,6 kilometra na godzinę) – taką prędkość osiągał Titanic tuż przed zderzeniem z górą lodową na północnym Atlantyku.

**1** kryty basen z podgrzewaną wodą znajdował się na pokładzie. Był to jeden z pierwszych takich basenów na świecie.

**15** funtów i **10** szylingów kosztowała podróż przez ocean w przypadku członka służby pasażera pierwszej klasy. W przeliczeniu na dzisiejsze pieniądze to około 600 funtów.

**473** pasażerów trzeciej klasy stołowało się w nielicznych, prosto urządzonych jadalniach. Serwowano tam chleb, owoce i proste dania, jak pieczoną wołowinę z ziemniakami.

**73** lata po katastrofie wrak Titanica został odnaleziony na dnie Atlantyku.

**11** dań, w tym tak wykwintne jak ostrygi, pieczoną kaczkę i czekoladowe eklery, podano na kolację pasażerom pierwszej klasy tuż przed zderzeniem z górą lodową.

**0** ćwiczeń ewakuacyjnych z pasażerami przeprowadzono podczas dziewiczego rejsu Titanica.

**64 000** funtów wylicytowano podczas aukcji za menu obiadowe z Titanica.

**15** ton ważyła największa z kotwic na Titanicu – tyle co 10 samochodów osobowych.

**3** spośród **4** gigantycznych kominów okrętowych spełniało swoją rolę. Jeden dodano tylko po to, by nadać Titanicowi bardziej imponujący wygląd.

**10 000** żarówek oświetlało liczne okrętowe pomieszczenia, pokłady i korytarze.

**157** minut po zderzeniu z górą lodową kadłub Titanica przełamał się na pół.

**20** szalup ratunkowych znajdowało się na pokładzie. Miejsca w nich było dla zaledwie połowy pasażerów i załogi Titanica.

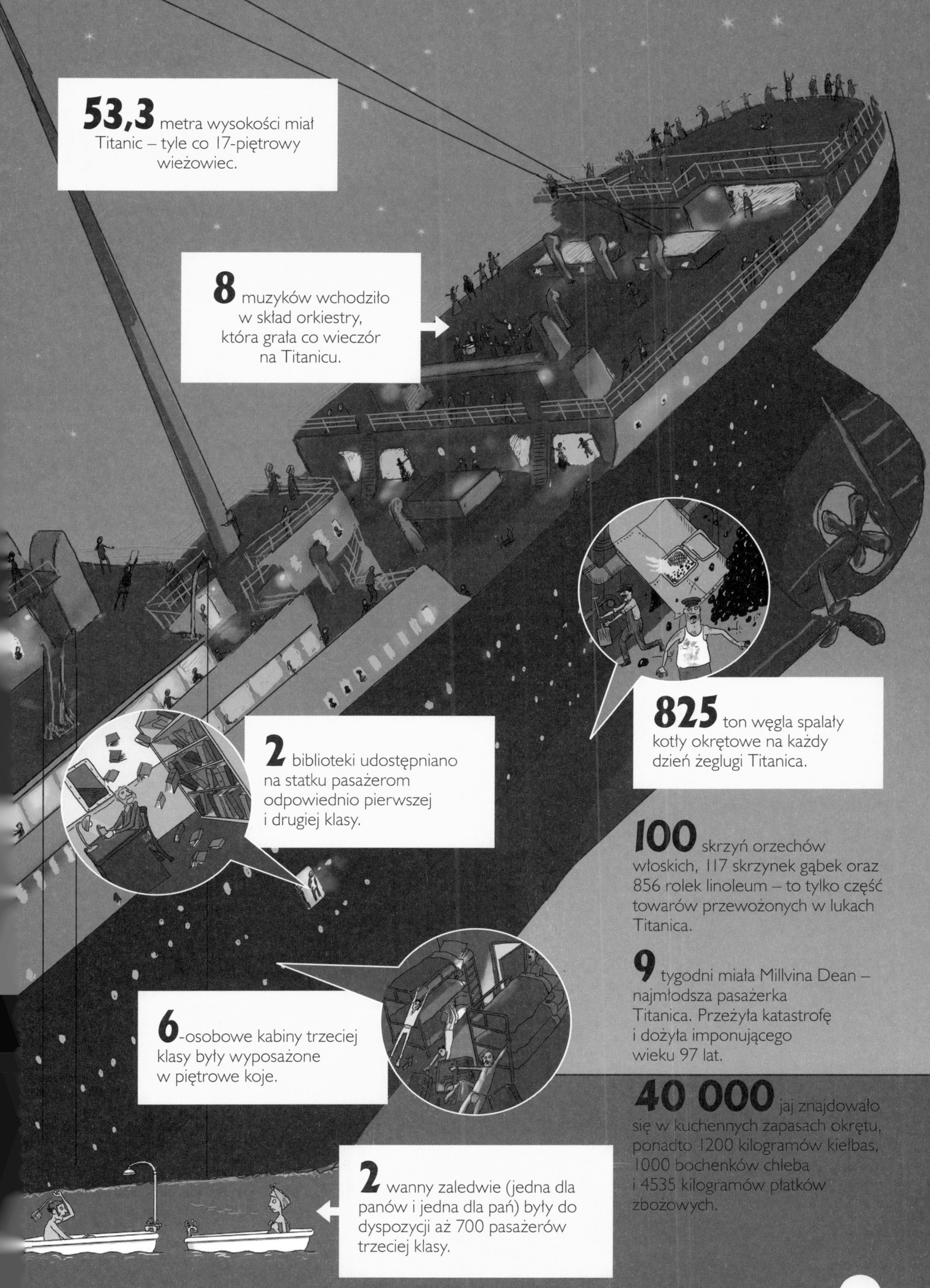
**53,3** metra wysokości miał Titanic – tyle co 17-piętrowy wieżowiec.
**8** muzyków wchodziło w skład orkiestry, która grała co wieczór na Titanicu.
**825** ton węgla spalały kotły okrętowe na każdy dzień żeglugi Titanica.
**2** biblioteki udostępniano na statku pasażerom odpowiednio pierwszej i drugiej klasy.
**100** skrzyń orzechów włoskich, 117 skrzynek gąbek oraz 856 rolek linoleum – to tylko część towarów przewożonych w lukach Titanica.
**9** tygodni miała Millvina Dean – najmłodsza pasażerka Titanica. Przeżyła katastrofę i dożyła imponującego wieku 97 lat.
**6**-osobowe kabiny trzeciej klasy były wyposażone w piętrowe koje.
**40 000** jaj znajdowało się w kuchennych zapasach okrętu, ponadto 1200 kilogramów kiełbas, 1000 bochenków chleba i 4535 kilogramów płatków zbożowych.
**2** wanny zaledwie (jedna dla panów i jedna dla pań) były do dyspozycji aż 700 pasażerów trzeciej klasy.

# Wyjątkowe węże

**5**-centymetrowej długości budzące grozę kły ma żmija gabońska.

**1** na **500** mieszkańców położonych na Pacyfiku wysp Riukiu co roku cierpi z powodu ukąszenia przez węża.

**20** minut życia zostanie ci po ukąszeniu przez czarną mambę, chyba że ktoś zdąży ci podać antytoksyczną surowicę.

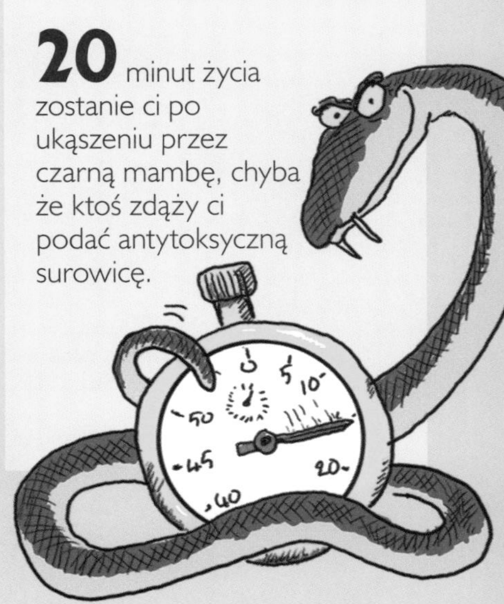

**100**-metrowy dystans może pokonać skaczący z drzewa nadobnik ozdobny. Taki skok wygląda prawie jak lot.

**110** miligramów jadu tajpana pustynnego wystarczyłoby do zabicia 100 ludzi lub 250 tysięcy myszy.

**30** minut wytrzymuje pod wodą pyton birmański bez wynurzania się w celu zaczerpnięcia oddechu.

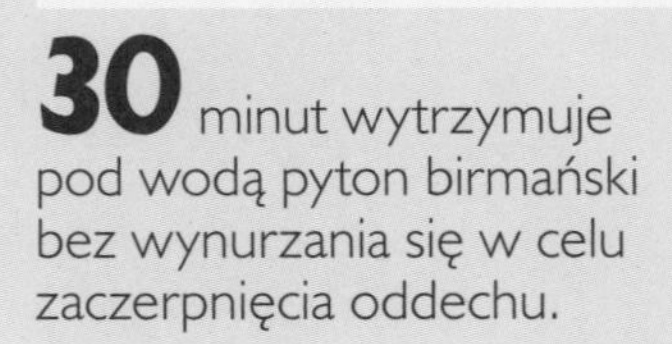

**120** ze **180** żyjących w Australii gatunków węży jest jadowitych.

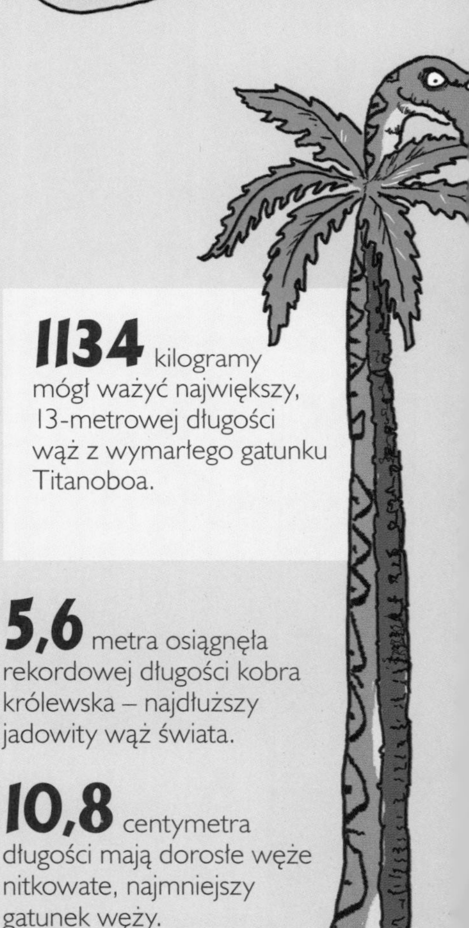

**1134** kilogramy mógł ważyć największy, 13-metrowej długości wąż z wymarłego gatunku Titanoboa.

**5,6** metra osiągnęła rekordowej długości kobra królewska – najdłuższy jadowity wąż świata.

**10,8** centymetra długości mają dorosłe węże nitkowate, najmniejszy gatunek węży.

**600** gatunków jadowitych węży żyje na świecie.

**2500** gatunków węży jest całkowicie nieszkodliwych.

**5** godzin minimum zajmuje pytonowi połknięcie ofiary.

**7,67** metra osiągnął najdłuższy zbadany pyton siatkowy.

**12** godzin może upłynąć, zanim zaczniesz odczuwać efekty ukąszenia przez wyjątkowo jadowitą koralówkę.

**4** tygodnie upłyną, zanim najedzony boa dusiciel zacznie rozglądać się za kolejnym posiłkiem.

**80** jaj może złożyć za jednym razem samica pytona.

**5** lat to rekordowy okres postu, jaki zaobserwowano u pewnego rodzaju żmij azjatyckich.

**1/3** długości ciała kobry królewskiej unosi się nad ziemię podczas ataku.

**60** centymetrów ma tuż po urodzeniu anakonda zielona. Gdy dorośnie, może osiągnąć nawet 9 metrów długości.

**100** procent węży jest mięsożernych.

**60** razy na sekundę to częstotliwość potrząsania ogonem przez grzechotnika.

**30** procent spośród wszystkich gatunków węży jest żyworodnych.

**70** procent gatunków węży jest jajorodnych.

**450** kostek składa się na kręgosłup węża.

**100** kilometrów długości mierzyła ławica węży morskich zaobserwowana w 1932 roku. W ławicy płynęły razem miliony osobników.

CHYBA KTOŚ MNIE ŚLEDZI...

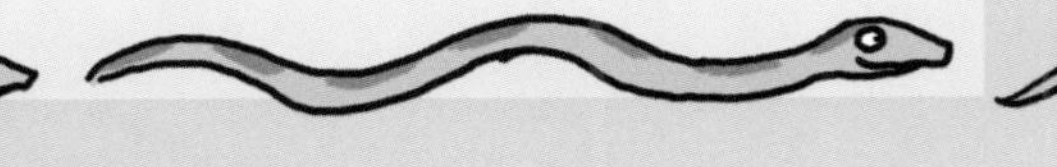

# Jak powstaje muzyka

**88** klawiszy ma standardowa klawiatura. 52 z nich jest białych, a 36 czarnych.

**4** metry długości miałaby rozwinięta tuba waltorni.

**3** metry wysokości i ponad 227 kilogramów to dość, by bęben orkiestry Uniwersytetu Teksańskiego nazwać Grubą Bertą. Przewozi się go na kółkach, służy do wybijania rytmu podczas parad i meczów futbolowych.

**6** to typowa liczba strun gitary, ale są też instrumenty 4-, 7-, 8-, 9-, 10- oraz 12-strunowe.

**1000** lat potrwa odtwarzanie utworu muzycznego pt. „Longplayer". Komputerowa wariacja gra nieprzerwanie od 31 grudnia 1999 roku.

**33 112** to liczba piszczałek w rekordowych organach w centrum konferencyjnym w Atlantic City – to potężny i niezwykle donośny instrument.

**4** rodziny instrumentów wchodzą w skład orkiestry symfonicznej. Są to: smyczkowe, dęte drewniane i blaszane oraz instrumenty perkusyjne.

**90 000** strun gitarowych produkuje dziennie firma Fender.

**54,96** metra łącznej długości miało pięć metalowych rur, z których wykonano ogromne dzwonki wietrzne w Illinois.

**2** razy w historii Szkocji zabraniano gry na dudach. W 1746 roku nieszczęsny kobziarz James Reid został nawet skazany na śmierć za grę pomimo zakazu!

**46** centymetrów średnicy ma najczęściej płat koziej skóry rozciągnięty na ramie – tak powstaje tradycyjny irlandzki bęben Bodhran.

**11** członków liczy Orkiestra Warzywna grająca na specjalnych instrumentach muzycznych zrobionych z warzyw.

**450** kilogramów waży typowy fortepian firmy Steinway.

**4 miliony** dolarów były warte skrzypce Stradivariusa zostawione w taksówce w 2008 roku. Skrzypek z wdzięczności za zwrot instrumentu zagrał taksówkarzowi darmowy koncert.

**6** milimetrów długości mają najmniejsi twórcy instrumentów muzycznych – termity wyjadające wnętrze drzewa, z którego powstaje didjeridu, tradycyjny instrument australijskich Aborygenów.

**1 milion** harmonijek ustnych produkuje rocznie firma Hohner, największy wytwórca tych instrumentów na świecie.

**1120** minut trwa kompozycja Erika Satiego pt. „Utrapienie". Podczas prawykonania w Nowym Jorku tylko jeden meloman zdołał wysłuchać utwór w całości.

**1** strunę ma hinduski instrument ektara. Muzyk ściska jego szyjkę, by zmienić napięcie struny, co wpływa na wysokość dźwięku.

**2134** osoby grające na ukulele uczestniczyły w ogromnym jam session w japońskiej Jokohamie.

**230** strun znajduje się wewnątrz typowego fortepianu.

**1,82** metra długości mają płytki w ogromnym ksylofonie zwanym doso. Płytki normalnego ksylofonu mierzą zazwyczaj kilka centymetrów.

**152** centymetry długości ma najdłuższa struna typowej harfy. Liczba strun jest różna i może sięgać 47.

**0** instrumentów muzycznych potrzeba do wykonania utworu Johna Cage'a pt. „4'33". Składa się on z 4 minut i 33 sekund całkowitej ciszy.

**30** skrzypiec liczy typowa orkiestra symfoniczna.

**5** poziomych linii służy do zapisu wysokości nut w taktach oddzielonych liniami pionowymi. Ta metoda zapisu muzycznego powstała w Italii w XIII wieku.

**3** zawory trąbki pozwalają muzykowi zagrać aż 45 różnych nut.

**7** różnych pozycji suwaka w puzonie daje szeroki zakres tonów.

**260** kalorii na godzinę spala muzyk grający na bębnach. To dwa razy więcej niż podczas gry na gitarze.

**70** kawałków drewna potrzeba, by złożyć skrzypce.

**4** instrumenty tworzą sekcję smyczkową w orkiestrze: skrzypce, altówka, wiolonczela i kontrabas.

# Błękit oceanów

**99** procent nadającej się do życia objętości naszej planety to oceany.

**71** procent powierzchni Ziemi pokrywa woda.

**50 biliardów** ton to szacowana waga soli rozpuszczonej w wodzie morskiej. Gdyby całą tę sól odparować i pokryć nią Ziemię, uformowałaby warstwę o grubości 40-piętrowego budynku.

**10 898** metrów w dół mierzy tak zwana Głębina Challengera na terenie Rowu Mariańskiego – najgłębszego miejsca na Ziemi.

**97** procent ziemskiej wody znajduje się w oceanach.

**600 000** baryłek to średni roczny wyciek ropy z tankowców do mórz na całym globie.

**35** gramów soli zawiera litr wody morskiej.

**3,5 miliarda** ludzi na świecie żywi się głównie tym, co złowi w morzu.

**75** procent największych miast świata leży na brzegu morza.

**20 miliardów** kilogramów złota w maleńkich cząsteczkach pływa w morskiej wodzie. Próba zebrania go kosztowałaby jednak więcej, niż wartość tego kruszcu.

**35** stopni Celsjusza ma woda w najgorętszym zbiorniku morskim – Zatoce Perskiej.

**–1,8** stopnia Celsjusza to najczęstsza temperatura zamarzania wody morskiej.

**10 000** metrów to wysokość wulkanu Mauna Kea. To najwyższy szczyt na świecie, gdy pominie się fakt, że 5996 metrów jest ukryte pod wodą.

**400** różnych gatunków korali znaleziono na Wielkiej Rafie Koralowej koło Australii.

**5** procent to szacowana część oceanów przebadana przez człowieka. Oznacza to, że niezmierzone głębiny dopiero czekają na odkrycie.

**121** metrów to największa głębokość, na jaką zanurkował człowiek bez sprzętu do oddychania.

**16,3** metra to różnica między poziomem morza podczas przypływu i odpływu w kanadyjskiej Zatoce Fundy – miejscu rekordowych pływów morskich.

**18 400** kawałków plastiku unosi się na każdym kilometrze kwadratowym powierzchni oceanów.

**524** metry to najwyższy zanotowany poziom fal tsunami – pięciokrotnie wyższy niż Statua Wolności. Taka gigantyczna fala zalała brzeg Zatoki Lituya na Alasce w 1958 roku.

**84** pierwiastki chemiczne można znaleźć w wodzie morskiej.

**330** metrów to największa głębokość zanurzenia ze sprzętem płetwonurkowym.

**80** procent zanieczyszczeń w oceanach pochodzi z działalności człowieka na lądach.

**400** stopni Celsjusza osiąga woda pompowana z kominów hydrotermalnych – otworów na dnie morza. Ponieważ wyloty takich kominów znajdują się najczęściej na głębokości około 2 kilometrów, ciśnienie zapobiega gotowaniu się wody.

**33** procent objętości Morza Martwego to sól. W oceanie sól stanowi mniej więcej 3,5 procent. Woda w Morzu Martwym jest więc niezwykle gęsta, co ogromnie ułatwia pływanie.

**3795** metrów wynosi średnia głębokość mórz.

**165,25** miliona kilometrów kwadratowych mierzy powierzchnia Oceanu Spokojnego. To więcej niż wszystkich lądów razem.

**25 000** wysp i wysepek leży na Pacyfiku.

**66** metrów – o tyle wzrósłby poziom morza, gdyby jednocześnie rozpuścił się cały lód na świecie.

**8** ton na 6,5 centymetra kwadratowego to ciśnienie wody w najgłębszym punkcie oceanu. Takie samo ciśnienie wywarłoby 50 odrzutowców ustawionych na twojej głowie!

**3,54** kilometra to wysokość największego podwodnego wodospadu na świecie. Jest 3,5 raza wyższy, ale też o wiele bardziej powolny od największego wodospadu na lądzie.

**90** procent ziemskiej aktywności wulkanicznej ma miejsce na dnie morza.

**2300** kilometrów długości ma australijska Wielka Rafa Koralowa.

# Legendy i mity

**5** planet Układu Słonecznego znali już Rzymianie: Merkurego, Wenus, Marsa, Jowisza i Saturna. Ich imiona pochodzą od czczonych w Rzymie bogów. Podobnie jest w przypadku Neptuna, który jednak został odkryty dopiero w 1846 roku.

**120** kroków to dystans, z jakiego Wilhelm Tell wystrzelił z kuszy w stronę swego syna. By go uratować, musiał zestrzelić leżące na jego głowie jabłko.

**8** nóg miał koń imieniem Sleipnir, którego dosiadał nordycki bóg Odyn.

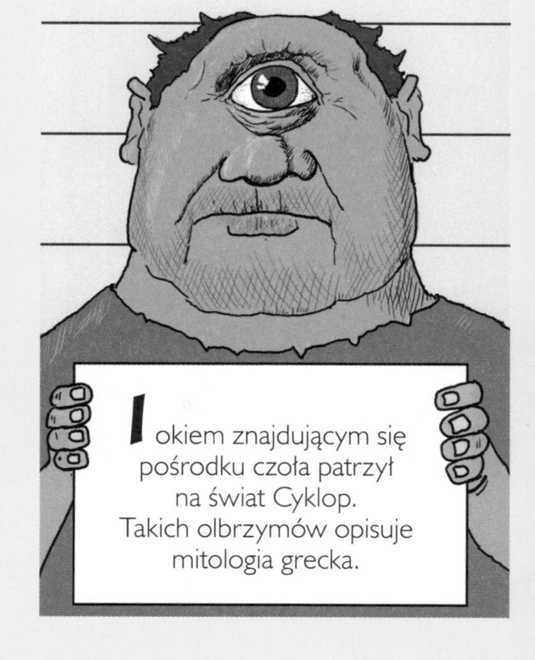

**1** okiem znajdującym się pośrodku czoła patrzył na świat Cyklop. Takich olbrzymów opisuje mitologia grecka.

**3** rodzaje olbrzymów występują w mitach nordyckich: górskie, zimowe i ogniste.

**2** skórzane sakiewki nosi każdy leprechaun, skrzat z mitologii celtyckiej. W jednej trzyma srebrną monetę, która w magiczny sposób powraca do sakiewki po każdej zapłacie, a w drugiej złotą monetę, służącą za łapówkę dla każdego, kto schwyta leprechauna – po zmianie właściciela złoto zmienia się w popiół.

**7** podróży opisano w przygodach Sindbada Żeglarza.

**40** rozbójników wywiódł w pole Ali Baba. Ten syn handlarza poznał tajemne zaklęcie „Sezamie, otwórz się!", dzięki czemu dostał się do jaskini ze skarbami.

**7** młodzieńców i **7** dziewic składano co roku w ofierze dla Minotaura – mitycznego potwora z głową byka. Dopiero grecki heros Tezeusz odważył się wejść do labiryntu, w którym mieszkał Minotaur, i zabić go.

**25** imion wyryto na Okrągłym Stole z Winchester. Tak miał wyglądać sławny mebel z brytyjskiej legendy o Królu Arturze i Rycerzach Okrągłego Stołu.

**8** pełnych niebezpieczeństw pięter podziemnego świata muszą pokonać zmarli w mitologii azteckiej, by znaleźć ukojenie na piętrze dziewiątym.

**4** karłów podtrzymuje strony nieboskłonu w mitologii nordyckiej – Austri (wschód), Vestri (zachód), Nordri (północ) i Sudri (południe).

**52**-letni cykl wywoływał u Azteków strach przed końcem świata, do którego mogło dojść pod koniec każdego takiego cyklu. Aby uniknąć zniszczenia, należało odprawiać rytuały, na przykład spalenie wszystkich posiadanych przedmiotów.

**60** godzin w tygodniu spędza niejaki George Edwards, pływając po szkockim jeziorze Loch Ness. Poświęcił on całe życie na poszukiwanie potwora, który ma się kryć w wodach jeziora.

**540** bram miała należąca do boga Odyna komnata wiecznego szczęścia Walhalla, do której udawał się każdy Wiking poległy w boju.

**3** bracia rządzili światem w mitologii rzymskiej. Jowisz władał niebiosami, Neptun morzami, a Pluton światem podziemnym.

**500** lat żył mityczny ptak zwany feniksem. Pod koniec tak długiego życia ginął w płomieniach, by z popiołów mógł odrodzić się nowy feniks.

**3** mądre małpy występują w japońskich podaniach ludowych. Nazywa się je: Nie widzę nic złego, Nie słyszę nic złego oraz Nie mówię nic złego.

**38 000** dziwacznych bazaltowych kolumn sterczy z Grobli Olbrzyma w północnej Irlandii. Według legendy są to resztki drogi, którą olbrzym Fionn mac Cumhail przeprawił się do Szkocji, by walczyć ze swym konkurentem, Benandonnerem.

**1** monetę zostawiali żałobnicy przy zmarłym w starożytnej Grecji. Potrzebna była na zapłatę dla przewoźnika przez rzekę Styks, która prowadziła do podziemnego świata.

**12** prac (zadań) musiał wykonać Herkules, heros z podań greckich i rzymskich. Przeważnie chodziło o zabijanie lub chwytanie potworów, a także zdobywanie skarbów z różnych stron świata.

**5** pazurów u każdej łapy miał Niebiański Smok, władca wszystkich smoków z mitologii chińskiej. Tylko cesarzowi wolno było nosić symbole smoka z pięcioma pazurami. Za wykonanie takiego wizerunku na własną rękę groziła kara śmierci.

**2** twarze miał Janus, rzymski bóg i opiekun przejść, który patrzył równocześnie w przód i za siebie. Często od jego imienia pochodzi nazwa pierwszego miesiąca, jako daty przejścia.

**4**-nożne rankiem, **2**-nożne w południe, a **3**-nożne wieczorem. Co to za zwierzę? W starożytnej Grecji taką zagadkę zadawał przechodniom Sfinks, a za błędną odpowiedź traciło się życie. (Dobra odpowiedź to: człowiek, gdyż jako dziecko raczkuje, dorosły chodzi na dwóch nogach, a na starość podpiera się laską.)

**10** lat miała trwać legendarna wojna trojańska. Ostatecznie zwyciężyli w niej Grecy, którzy podstępem dostali się za mury wewnątrz ogromnego drewnianego konia zbudowanego rzekomo w uznaniu męstwa Trojan.

**1001** nocy to zbiór orientalnych legend. Według legendy sułtan Szachrijar zabijał każdą nowo poślubioną żonę. Dopiero jedna z małżonek zaczęła co noc snuć opowieści, które tak się spodobały sułtanowi, że pozostawił ją przy życiu.

# Dzikie koty

**6** małych antylop adoptowała zdezorientowana kenijska lwica o imieniu Kamunyak. Wykradła maluchy antylopom i próbowała sama je wychować.

**5,4** metra to najwyższy zaobserwowany skok pumy.

**30** lwów i lwic tworzy stado Savuti w Botswanie. Stado jest na tyle liczne, że regularnie poluje na słonie.

**250** funtów kosztowało lwie szczenię w słynnym londyńskim domu towarowym Harrods w latach 60. XX wieku.

**5** gatunków prawdziwie „wielkich" lub „ryczących" kotów żyje na świecie: lew, tygrys, lampart, pantera i jaguar.

**85** różnych gatunków zwierząt może paść ofiarą polowania wygłodniałego jaguara.

**2,5** roku przeciętnie lew jest przywódcą stada, po tym czasie ustępuje silniejszemu samcowi.

**600** cętek można się średnio doliczyć na sierści geparda.

**384** kilogramy ważył najcięższy znany nauce tygrys. To około 85 razy więcej niż ciężar domowego kota.

**8** szczeniąt to największy zaobserwowany miot geparda.

**20** centymetrów mierzyły kły prehistorycznego tygrysa szablozębnego.

**650** ludzi rocznie ginie lub zostaje okaleczonych wskutek ataku wielkiego kota.

**8** kilometrów to odległość, z jakiej słychać ryk lwa.

**96** kilometrów na godzinę to największa odnotowana prędkość biegu geparda na płaskim terenie.

**3500** lat temu Egipcjanie udomowili dzikie koty, dając początek tak popularnym obecnie rasom zwierząt domowych.

**436** ludzi zginęło w Indiach od kłów lub pazurów dzikiej Tygrysicy z Champawat, zanim zdołano ją zastrzelić w 1907 roku.

**20** minut zajmuje gepardowi powrót do normalnego oddychania po 20-sekundowym pościgu z maksymalną prędkością.

**1,5** kilograma waży przeciętnie kot rdzawy – najmniejszy dziki kot na świecie. Kot domowy waży zazwyczaj około 4,5 kilograma.

**114** decybeli może osiągać ryk lwa. Głośniki na koncercie rockowym są cichsze.

**25** kilogramów mięsa może pożreć jaguar w czasie jednego posiłku. To jakbyś zjadł na kolację 100 hamburgerów.

**1500** ludzi zginęło w ciągu 15 lat od ataków stada lwów-ludożerców w Tanzanii w I połowie XX wieku.

**0** tygrysów ma takie same paski. Ubarwienie każdego tygrysa jest unikalne, jak odciski palców u ludzi.

**5000** tygrysów można oglądać w niewoli w Ameryce Północnej. Na wolności w całej Azji żyje ich tylko 3200.

**293** kilometry kwadratowe powierzchni ma pewna japońska wyspa w archipelagu Riukiu. Tylko tam można spotkać rzadki gatunek zwierzęcia – kota z Iriomote.

**200** tygrysów syberyjskich żyje na wolności.

**15** metrów – na taką odległość może skoczyć pantera śnieżna. To 7-krotność rozmiarów jej ciała.

**120**-kilogramową ofiarę może dźwigać w paszczy lampart, wspinając się na drzewo.

**41** gatunków dzikich kotów żyje obecnie na świecie.

**0** niezwykle rzadkich panter śnieżnych widział pisarz Peter Matthiessen, gdy wybrał się do Azji zbierać materiały do poświęconej im książki.

**40** różnych nazw używa się na określenie pumy, między innymi kuguar, lew górski czy diabeł indiański.

# Dziki Zachód

**5** dolarów kosztowała działka budowlana w centrum legendarnego miasteczka Tombstone po jego założeniu w 1879 roku.

**1048** gramów ważył rewolwer colt peacemaker – broni tej najpowszechniej używali na Dzikim Zachodzie zarówno szeryfowie, jak i poszukiwani przez nich bandyci.

**0** byków zastrzelił w życiu Byczy Bill (przydomek Williama Cody'ego). W rzeczywistości strzelał do amerykańskich bizonów.

**28** napadów na dyliżanse przypisuje się bandycie o przydomku Czarny Bart (prawdziwe nazwisko to Charles Bolton). Przydomek pochodził od maski z otworami na oczy zrobionej z worka na mąkę.

**66** lat po śmierci w strzelaninie pochowano w końcu zwłoki bandyty Elmera McCurdy'ego. Wcześniej zakonserwowano je i używano do pokazów, a nawet pierwszych nagrań telewizyjnych.

**66** egipskich wielbłądów sprowadziła dla swoich taborów armia USA w 1856 roku. Zwierzęta sprzedano potem do cyrków.

**0,252** sekundy trwało najszybsze zmierzone wyszarpnięcie rewolweru z kabury – wykonał je niejaki Howard Darby w 2000 roku w Kanadzie. Pojedynki na strzały z biodra (ślepymi nabojami) wciąż są popularną zabawą w Ameryce.

**2** asy oraz **8** trefl i **8** pik trzymał w ręce Dziki Bill Hickock, gdy został zastrzelony podczas partii pokera. Taki układ kart nosi do dziś nazwę trupiej ręki.

**30** sekund trwała legendarna strzelanina w O.K. Corral pomiędzy bandą Clantonów a braćmi Earp, którym pomagał rewolwerowiec Doc Holliday. Zginęło trzech uczestników potyczki.

**720 000** karabinów winchester model 1873 opuściło fabrykę. Powszechnie używali ich kowboje, stąd wziął się slogan o broni, którą zdobyto Dziki Zachód.

**30** kroków od celu mogła stać Annie Oakley. Była tak wybornym strzelcem, że zawsze trafiała w krawędź postawionej na sztorc karty.

**41 milionów** dolarów (miliard w przeliczeniu na obecną wartość waluty) było warte złoto wydobyte podczas kalifornijskiej gorączki złota w 1850 roku.

**1 milion** mustangów (zdziczałych koni) i ponad 5 milionów sztuk bydła przepędzili kowboje Szlakiem Chisholm w latach 1867–1884.

**23** kulami został trafiony bandyta Emmett Dalton podczas strzelaniny ze stróżami prawa w 1892 roku. Odratowano go i skazano na 14 lat więzienia. Później parał się aktorstwem i handlem nieruchomościami.

**10 000** dolarów wynosiła nagroda za schwytanie dwóch bandytów, Franka i Jesse Jamesów. Plakat z listem gończym kazał rozlepić w 1881 roku gubernator Missouri. Nikt się nie zgłosił po odbiór nagrody.

**1** amerykański uczestnik bitwy z Indianami nad Little Bighorn w 1876 roku przeżył rzeź 7. Regimentu Kawalerii. Był to koń o imieniu Komancz.

**35 000** listów przewieźli konni kurierzy firmy Pony Express w latach 1860–1861. Kursowali na mierzącej ponad 2800 kilometrów trasie z Missouri do Kalifornii i zgubili tylko jeden worek z pocztą.

**3500** robotników produkowało na początku XX wieku 2 miliony kapeluszy stetson rocznie. Ten model kapelusza, ulubiony wśród kowbojów, zaprojektował w 1865 roku John Batterson Stetson.

**16** lat trwały objazdowe pokazy trupy Byczego Billa, w których pokazywano motywy Dzikiego Zachodu. Szczególny entuzjazm budziły popisy strzeleckie Annie Oakley.

**6** kul można było jednorazowo załadować do rewolweru. Broń nosiło się w skórzanej kaburze lub po prostu wetkniętą za pas.

**10** lat miał słynny wódz indiański Siedzący Byk, gdy zabił pierwszego w życiu bizona.

**2**-dniowy zapas wody do picia oraz jedzenie na wiele tygodni przewoził kowbojski wóz kuchenny. Menu kowbojów było dość monotonne: wołowina, wieprzowina, fasola, ziemniaki i placki kukurydziane.

**30–60 milionów** bizonów wędrowało po Ameryce na początku XIX wieku. Sto lat później wskutek intensywnych polowań ich liczba spadła do kilkuset sztuk.

# Australia i Oceania

**14** państw powstało na terenie Australii i Oceanii: Australia, Nowa Zelandia, Papua-Nowa Gwinea, Fidżi, Mikronezja, Wyspy Marshalla, Samoa, Wyspy Salomona, Tonga, Kiribati, Nauru, Tuvalu, Vanuatu i Palau.

**7** razy więcej owiec niż ludzi żyje w Australii.

**2228** metrów n.p.m. wznosi się najwyższy szczyt Australii – Góra Kościuszki w stanie Nowa Południowa Walia.

**14** procent mieszkańców Nowej Zelandii to Maorysi – lud pierwotnie zamieszkujący te wyspy.

**5531** kilometrów długości ma ogrodzenie zwane Płotem na Dingo, zbudowane między południem kontynentu a stanem Queensland.

**750 000** dzikich wielbłądów wędruje po australijskich pustkowiach. Australia bije rekord świata pod względem liczby wielbłądów.

**9** wysp wchodzi w skład archipelagu Tuvalu. Całkowita powierzchnia tego oddalonego od cywilizacji państwa wynosi 27 kilometrów kwadratowych.

**600** wysepek tworzy australijską Wielką Rafę Koralową. To jedyny na Ziemi twór żywych stworzeń widoczny z kosmosu.

**332** wyspy wchodzą w skład państwa Fidżi. 110 z nich jest zamieszkanych.

**4** metry wysokości osiągają kopce australijskich termitów. Te zdumiewające budowle są tworzone przez owady, które mają najwyżej 5 milimetrów długości.

**836** różnymi językami mówi się w Papui-Nowej Gwinei.

**3720** kilometrów długości ma najdłuższa rzeka Australii – Murray-Darling.

**3,6** kilometra długości, **2,4** kilometra szerokości i **348** metrów wysokości ma Uluru, czyli skała będąca jednym z najbardziej rozpoznawalnych symboli Australii. Angielska nazwa skały to Ayers Rock.

**146** kilometrów bez choćby jednego skrętu – tak została wytyczona szosa przez australijską równinę Nullarbor. To najdłuższy prosty odcinek drogi na świecie.

**100** różnymi językami wciąż mówią australijscy Aborygeni.

**34 000** kilometrów kwadratowych powierzchni ma Anna Creek Station – ogromne ranczo bydła w południowej Australii. To jedno gospodarstwo ma obszar większy od całej Belgii.

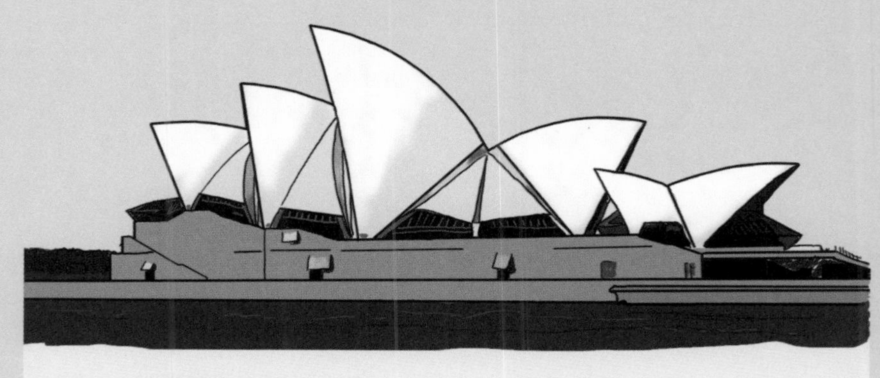

**8 milionów** ludzi odwiedza co roku słynny gmach opery w Sydney.

**25 milionów** kangurów żyje w Australii.

**140** gatunków torbaczy zamieszkuje Australię, większości z nich nie spotkasz nigdzie indziej. Torbacze to rodzaj ssaków, których młode wychowują się w kieszeni na brzuchu matki. Do torbaczy zaliczamy kangury, wombaty i misie koala.

**48** kilometrów na godzinę to prędkość biegu strusia emu. Te ogromne ptaki można spotkać na wolności tylko w Australii.

**120** kilometrów długości ma Wyspa Fraser, niedaleko wybrzeży Australii. To największa wyspa piaszczysta na świecie.

**35 877** kilometrów długości ma linia brzegowa Australii.

**21** kilometrów kwadratowych ma najmniejsze państwo w Oceanii – Nauru.

**1600** kilometrów to odległość z Nowej Zelandii do najbliższego lądu, czyli Australii.

**2104** kilometry trzeba przebyć z miasta Perth na zachodzie Australii, by znaleźć się w innym mieście liczącym ponad milion mieszkańców, czyli Adelajdzie. Taka odległość dzieli na przykład Londyn i Sankt Petersburg.

**4** na **5** Australijczyków mieszka w pobliżu morza.

**427,2** metra – na taką rekordową odległość poleciał bumerang rzucony w parku Murarrie w stanie Queensland w 2005 roku. To więcej niż długość czterech boisk piłkarskich.

# Drzewa i rośliny

50 kilometrów na godzinę – z taką prędkością tryskawiec sprężysty wyrzuca z owoców trujący sok z nasionami.
1 miliard pyłków rocznie uwalnia jedna roślina zwana ambrozją.
115,66 metra wysokości ma najwyższe znane nauce drzewo, kalifornijska sekwoja wiecznie zielona.
2 009 231 jednostek w skali Scoville'a to najwyższy stopień ostrości, jaki osiąga odmiana papryki habanero o nazwie Moruga Scorpion.
1 metr średnicy ma raflezja. Olbrzymi kwiat waży 11 kilogramów, ale „pachnie" gnijącym mięsem.


**400 000** gatunków roślin jest znanych nauce, choć z pewnością na świecie jest ich wiele więcej.

**258 650** spośród znanych gatunków to rośliny kwitnące.

**25** procent rosnących na świecie roślin jest zagrożonych wyginięciem.

**60** metrów pod wodą to najgłębszy poziom, na jakim mogą rosnąć morskie wodorosty – listownice.

**450 milionów** kwiatów eksportuje się w okresie Walentynek z Kolumbii do USA.

**13** centymetrów szerokości i kształt samolotu mają nasiona gurdliny ogórkowatej.

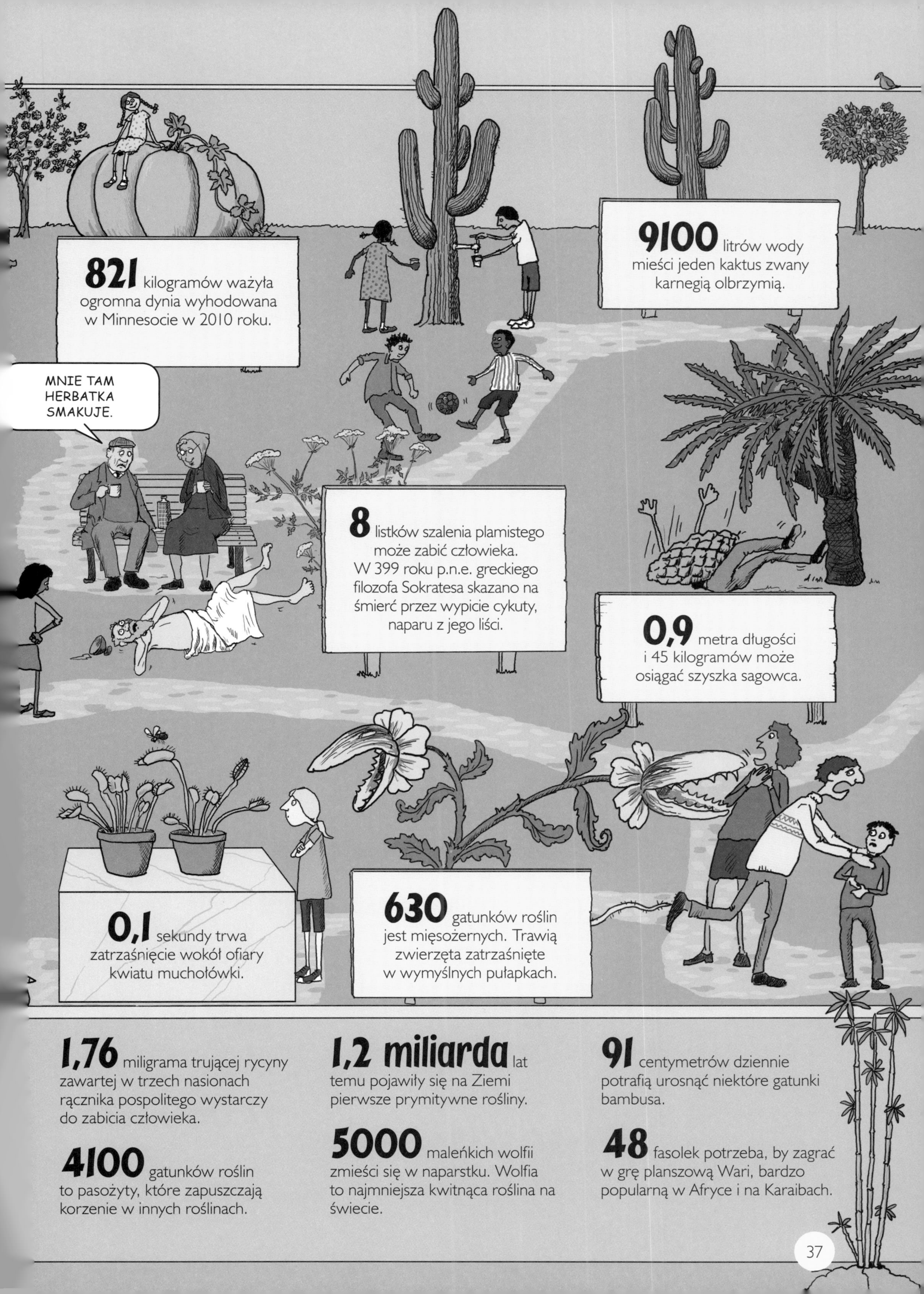

821 kilogramów ważyła ogromna dynia wyhodowana w Minnesocie w 2010 roku.
9100 litrów wody mieści jeden kaktus zwany karnegią olbrzymią.
MNIE TAM HERBATKA SMAKUJE.
8 listków szalenia plamistego może zabić człowieka. W 399 roku p.n.e. greckiego filozofa Sokratesa skazano na śmierć przez wypicie cykuty, naparu z jego liści.
0,9 metra długości i 45 kilogramów może osiągać szyszka sagowca.
0,1 sekundy trwa zatrzaśnięcie wokół ofiary kwiatu muchołówki.
630 gatunków roślin jest mięsożernych. Trawią zwierzęta zatrzaśnięte w wymyślnych pułapkach.


**1,76** miligrama trującej rycyny zawartej w trzech nasionach rącznika pospolitego wystarczy do zabicia człowieka.

**4100** gatunków roślin to pasożyty, które zapuszczają korzenie w innych roślinach.

**1,2 miliarda** lat temu pojawiły się na Ziemi pierwsze prymitywne rośliny.

**5000** maleńkich wolfii zmieści się w naparstku. Wolfia to najmniejsza kwitnąca roślina na świecie.

**91** centymetrów dziennie potrafią urosnąć niektóre gatunki bambusa.

**48** fasolek potrzeba, by zagrać w grę planszową Wari, bardzo popularną w Afryce i na Karaibach.

# Dostojni władcy

**19** swoich braci i kuzynów skazał na śmierć ottomański sułtan Mehmed III w 1595 roku.

**209** kilogramów ważył w 1976 roku król Tonga Taufa'ahau Tupou IV. Uznawano go za najbardziej otyłego monarchę świata.

**50** procent mieszkańców Madagaskaru mogło zginąć za okrutnych rządów morderczej królowej Ranavalony.

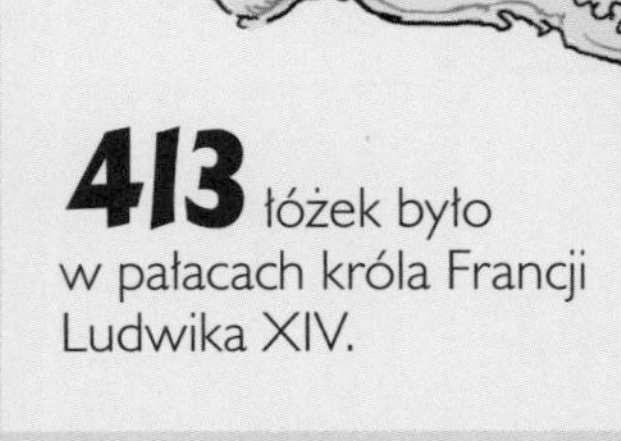

**413** łóżek było w pałacach króla Francji Ludwika XIV.

**108** dzieci – 60 synów i 48 córek – miał władca Persji Fath Ali Szach Kadżar (nie licząc tych, które zmarły w dzieciństwie).

**78 000** porcji świątecznego puddingu sprezentowała swym pracownikom królowa angielska Elżbieta II.

**1,1 miliona** ludzi uczestniczyło dotąd w przyjęciach królowej Elżbiety II w pałacu Buckingham lub w Holyroodhouse.

**5 milionów** kilometrów kwadratowych mogło mieć starożytne imperium Aleksandra Wielkiego.

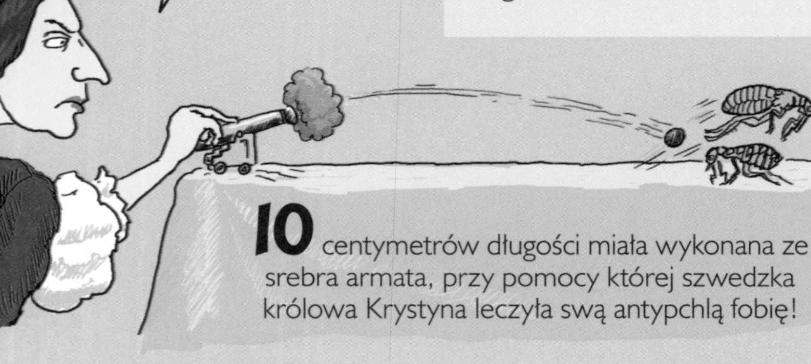
CEL, PAL!

**10** centymetrów długości miała wykonana ze srebra armata, przy pomocy której szwedzka królowa Krystyna leczyła swą antypchlą fobię!

**1** garnitur nosił pruski król Fryderyk II, nie licząc wojskowych mundurów.

**20** minut trwało panowanie francuskiego króla Ludwika XIX. Abdykował (zrzekł się tronu) niecałe pół godziny po obwołaniu go królem.

**30 204** dni trwało najdłuższe znane historykom panowanie jednego monarchy. Rekordzistą jest król Suazi Sobhuza II.

Z CAŁĄ PEWNOŚCIĄ JEDNEGO BRAKUJE...

**12 000** słoni posiadał XVII-wieczny hinduski cesarz Dżahangir.

**4936** brylantów było w koronie carycy Katarzyny II użytej do koronacji w 1762 roku.

**28** cesarzy chińskich zmarło w wieku nastoletnim.

**16** płatków złotej chryzantemy to godło cesarza Japonii.

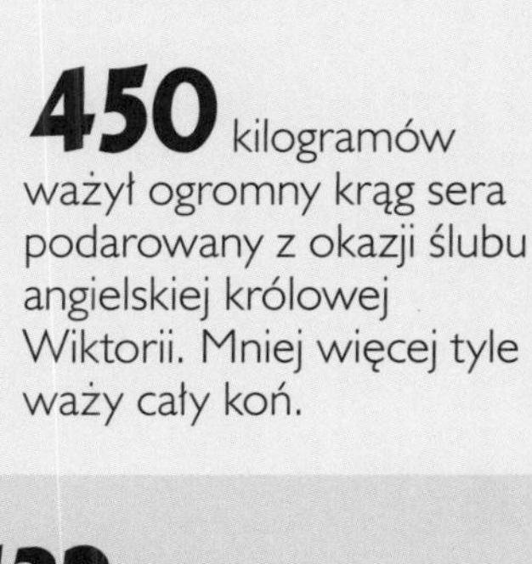

CZY JUTRO MOŻEMY ZJEŚĆ COŚ INNEGO?

ALE TO SIĘ LICZY ZA JEDNO DANIE?


**2** posiłki dziennie można było maksymalnie zjeść w Anglii zgodnie z prawem wprowadzonym w 1336 roku za króla Edwarda III.

**700 000** robotników budowało podziemne miasto, w którym pochowano chińskiego cesarza Qin Shi. Jego spokoju strzegła armia tysięcy naturalnej wielkości żołnierzy z terakoty.

**450** kilogramów ważył ogromny krąg sera podarowany z okazji ślubu angielskiej królowej Wiktorii. Mniej więcej tyle waży cały koń.

**376** konnych i **117** pieszych towarzyszy miała Maria Antonina w podróży do Francji, gdzie miała poślubić następcę tronu.

**10 miliardów** dolarów donacji na uniwersytet przeznaczył w 2008 roku władca Arabii Saudyjskiej Abdullah bin Abdulaziz Al Saud.

**5300** par łabędzi niemych żyje w Wielkiej Brytanii. Wszystkie są oficjalnie własnością królowej Elżbiety II.

**3** lata trwało panowanie króla Węgier Beli I. Zmarł od ran odniesionych, gdy zapadł się pod nim drewniany tron.

**132** centymetry średnicy w pasie mógł mieć, tuż przed śmiercią, król angielski Henryk VIII. Beczki w najszerszym miejscu mają dwa razy mniejszą średnicę.

**4** różnych cezarów rządziło imperium rzymskim w jednym tylko roku 69 n.e.

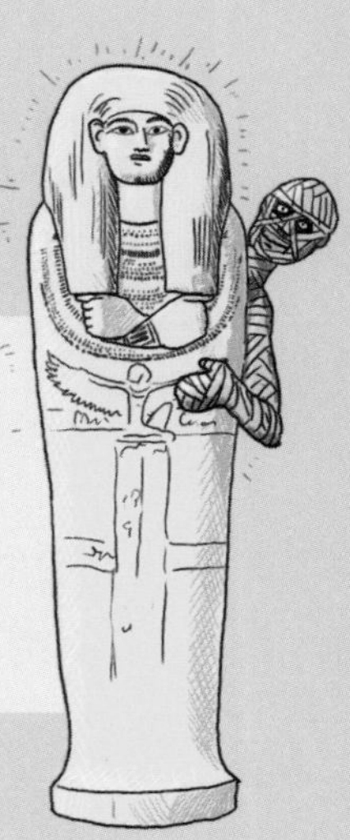

**110,4** kilograma czystego złota zużyto na trumnę faraona Tutenchamona.

**30** koni musiało ciągnąć ogromny powóz, którym caryca Katarzyna Wielka wizytowała Krym w 1787 roku.

# Niezwykła technologia

## 204,1 miliona
e-maili wysyłano co minutę w 2011 roku.

**8–10** piosenek o długości 3–4 minut można było zapisać w pamięci pierwszego przenośnego odtwarzacza mp3 o nazwie MPMan F10. Zaczęto go sprzedawać w 1998 roku, na trzy lata przed pojawieniem się pierwszego iPoda.

**0,025** milimetra (poniżej grubości ludzkiego włosa) to rozmiar najmniejszej grającej gitary świata o nazwie Nanoguitar II. Oczywiście nie gra się na niej palcami, tylko promieniem lasera.

OSTROŻNIE! CHYBA MI UPADŁA...

**240** kilometrów na godzinę to maksymalna prędkość kolejki górskiej Formula Rossa w parku Ferrari World w Abu Dabi.

**3500** stopni Celsjusza osiąga francuski piec solarny w Odeillo. Głównym elementem są w nim olbrzymie zwierciadła ogniskujące promienie słoneczne na małej przestrzeni, która rozgrzewa się do prawdziwie piekielnej temperatury.

**9** lat życia w rozwiniętych społeczeństwach spędzają ludzie na oglądaniu telewizji.

**13** ton – tyle co trzy dorosłe słonie – ważył Univac I, czyli pierwszy produkowany seryjnie komputer.

**5127** prototypów (wersji próbnych) odkurzacza zbudował i przetestował James Dyson, zanim zdecydował się na wdrożenie do produkcji sławnego egzemplarza bezworkowego.

**30** minut działała bateria w pierwszym telefonie komórkowym Motoroli z 1973 roku. Powtórne jej naładowanie zajmowało 10 godzin, a sam dość nieporęczny telefon ważył 1,1 kilograma.

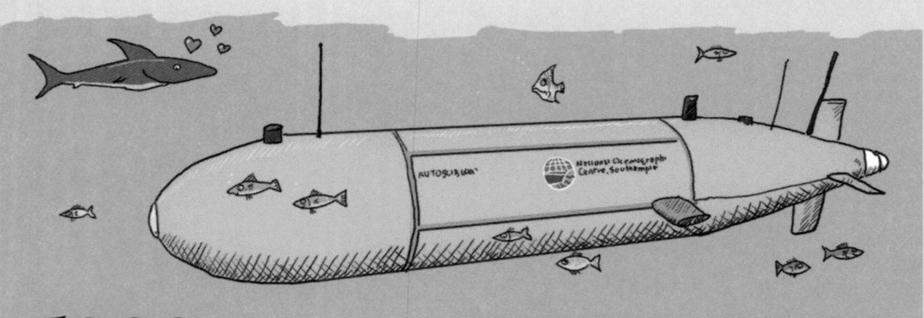

**5000** baterii zasila podwodnego robota o nazwie Autosub 3. Może on zanurkować na głębokość do 1600 metrów i pływać do 60 godzin podczas jednego zanurzenia.

**130** stron www można było obejrzeć w Internecie w czerwcu 1993 roku. Dziś ich liczba wynosi około miliarda.

**14,83** dolara zapłacono za zepsuty wskaźnik laserowy podczas pierwszej aukcji w portalu eBay. Dziś na tym jednym portalu średnio co 21 sekund sprzedaje się telefon komórkowy.

**51,9 miliona** komputerów złomowano w USA w 2010 roku.

**2,9** dnia zajmowało w latach 80. XX wieku ściągnięcie z sieci pliku muzycznego wielkości 9 MB. W tamtych czasach powszechnie używano modemów telefonicznych, aby podłączyć się do internetu.

**14** dni, **22** minuty i **8** sekund latał bez lądowania robot Qinetiq Zephyr w 2010 roku.

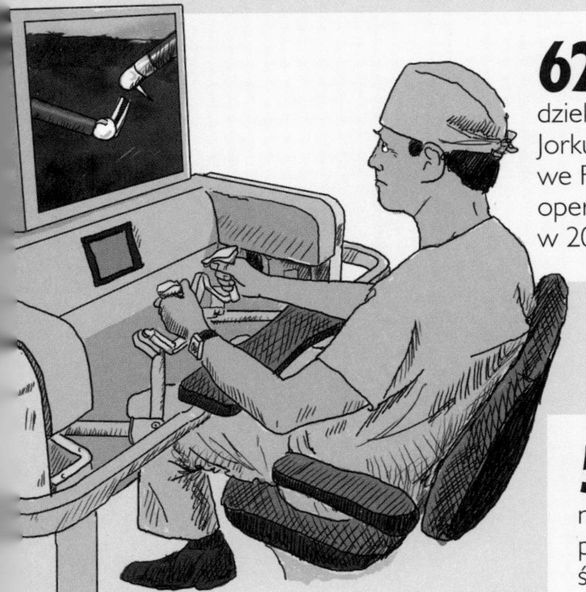

**6200** kilometrów dzieliło chirurgów z Nowego Jorku od pacjenta w Strasburgu we Francji, którego zdalnie operowali przy pomocy robota w 2001 roku.

**2520** olbrzymich paneli słonecznych wielkości domu działa w elektrowni fotowoltaicznej Moura w Portugalii. Zamieniają one energię słoneczną w prąd elektryczny, wystarczający do zasilania 30 tysięcy gospodarstw domowych.

**59** kilogramów waży najmniejszy seryjnie produkowany samochód świata Peel P50. Pojazd ma 1,37 metra długości, i nie ma biegu wstecznego. By zaparkować, trzeba wtoczyć go ręcznie na miejsce.

**1** milimetr to wielkość kompletnego komputera zbudowanego na Uniwersytecie Michigan. Mikroskopijne urządzenie ma układy pamięci, zasilanie i maleńki procesor, czyli serce komputera.

**60 000** lat ciągłej pracy zajęłoby tysiącowi ludzi wykonanie takich obliczeń matematycznych, jakie w jednej sekundzie przetwarza superkomputer Cray Titan.

**6** partii szachów rozegrał arcymistrz Garri Kasparow z komputerem szachowym Deep Blue. Rozgrywka była bardzo zacięta, ale w końcu wygrał komputer.

# Błyskotliwe pszczoły

**20 000** odrębnych gatunków pszczół żyje na Ziemi.

**4** lata to przeciętny czas życia królowej pszczół miodnych, podczas gdy robotnice żyją zaledwie kilka tygodni.

**4** dni po złożeniu jaja przez królową wylęgnie się mała pszczoła.

**2** łyżki miodu dałyby pszczole dość energii, by mogła oblecieć świat dookoła.

**4** centymetry długości ma ciało miesierki Wallace'a. To największa pszczoła na świecie.

**2** milimetry długości mają brazylijskie bezżądłe melipony – to najmniejszy gatunek pszczół.

**3** minuty od użądlenia przez pszczołę trwa uwalnianie jadu do rany. Trzeba więc ją szybko potrzeć, by usunąć żądło!

**170** odrębnych zapachów wyczuwa pszczoła miodna.

**1100** pszczelich użądleń w krótkim czasie może zabić człowieka.

**90 000** kilometrów muszą przelecieć pszczoły, by zebrać materiał do produkcji pół kilograma miodu.

**8** to obrys trasy tańca, przy pomocy którego pszczoły informują się nawzajem, jak dotrzeć do nektaru.

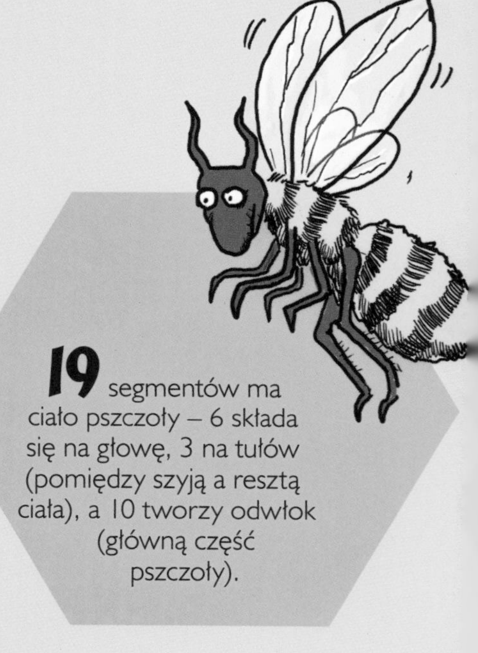

**19** segmentów ma ciało pszczoły – 6 składa się na głowę, 3 na tułów (pomiędzy szyją a resztą ciała), a 10 tworzy odwłok (główną część pszczoły).

**1** na **3** kęsy naszego pożywienia to efekt pracy pszczół i innych owadów zapylających rośliny.

**5** oczu ma pszczoła – jedną parę dużych i troje mniejszych.

**11 000** uderzeń skrzydełek na minutę daje słyszalne dla nas bzyczenie lecącej pszczoły.

**54** kilometry na godzinę to prędkość lotu trzmiela, gdy mu się bardzo spieszy.

**24** kilometry na godzinę to maksymalna prędkość lotu pszczoły miodnej.

**1** do **2** procent ludzi ma alergię na użądlenie przez pszczołę.

**304** kalorie ma 100 gramów miodu.

**14** stopni Celsjusza to temperatura, poniżej której miód zaczyna się krystalizować.

**10** segmentów ma każdy z czułków samiczki pszczoły, u samców tych segmentów jest 11.

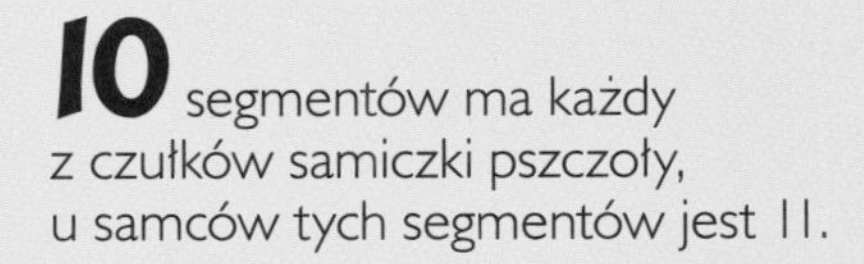

**6** stopni Celsjusza to najniższa temperatura powietrza, w jakiej może latać trzmiel. Musiałby jednak najpierw przez kwadrans wywoływać u siebie dreszcze, by zagrzać ciało do lotu.

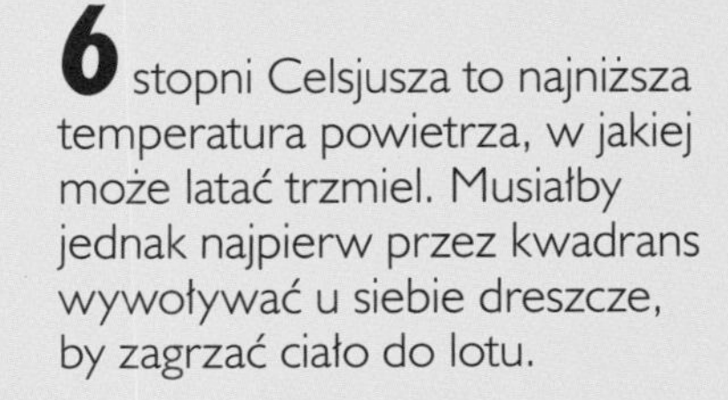

**400** kilometrów na rok – z taką prędkością pszczoła afrykańska, zwana też zabójczą, rozprzestrzeniała się w Ameryce Południowej i Środkowej.

**60 000** pszczół liczy przeciętny rój.

**225** pszczół dziennie chwyta i zjada ptak zwany żołną.

**80–85** procent miodu to czysty cukier.

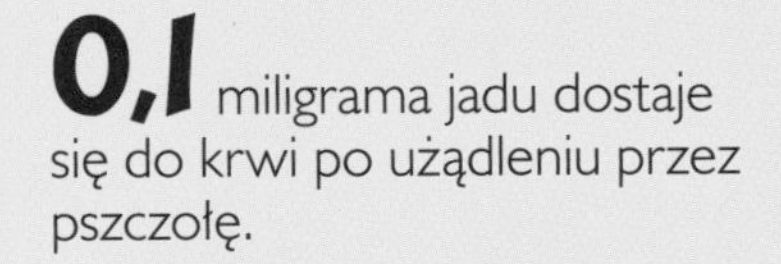

**0,1** miligrama jadu dostaje się do krwi po użądleniu przez pszczołę.

**48** godzin zajmuje pszczole wytrzeźwienie po wypiciu alkoholu, pochodzącego ze sfermentowanych owoców lub z resztek piwa czy wina zostawionych przez ludzi. Pijana pszczoła nie może prosto chodzić ani latać oraz wystawia języczek.

**60** centymetrów głębokości mogą mieć norki pszczół grzebaczowatych.

**0,08** łyżeczki miodu zbiera przeciętnie jedna pszczoła w ciągu swego życia.

**2 miliony** kwiatów muszą odwiedzić pszczoły, by zebrać pyłek na pół kilograma miodu.

# Kaprysy pogody

**1800** burz z piorunami może szaleć gdzieś na świecie w chwili, gdy czytasz ten tekst.

**119** kilometrów na godzinę to prędkość, przy której zwykły wiatr oficjalnie staje się huraganem.

**15** ton wody zawiera typowa mała chmura kłębiasta.

**12,2** metra deszczu rocznie spada zazwyczaj na indyjskie miasto Mawsynram. To najbardziej narażone na wilgoć miejsce na ziemi.

**200** dni w roku mgła zalega nad miastem Grand Banks w kanadyjskiej Nowej Fundlandii. To najbardziej mgliste miejsce na świecie.

**120 milionów** ton pyłów zrzuciła śnieżyca na Chicago w 1934 roku.

**2** zjawiska tęczy można czasem zobaczyć z tego samego miejsca. Druga tęcza będzie miała wówczas słabsze barwy, na dodatek w odwróconej kolejności.

**2** tygodnie zasilania elektrycznego typowego domu mógłby zapewnić jeden piorun.

**353** kilometry – taki dystans pokonało pewne amerykańskie tornado w 1935 roku.

**30 000** stopni Celsjusza to temperatura, jaką osiąga piorun.

**218 000** kilometrów na godzinę to prędkość gigantycznej iskry zwanej błyskawicą.

**1,825** metra to przeciętny wzrost dorosłego człowieka. Tyle deszczu spadło w ciągu jednej doby na położoną na Oceanie Indyjskim wyspę Réunion.

**1200** trąb powietrznych nawiedza co roku Stany Zjednoczone, które są rekordzistą świata pod tym względem.

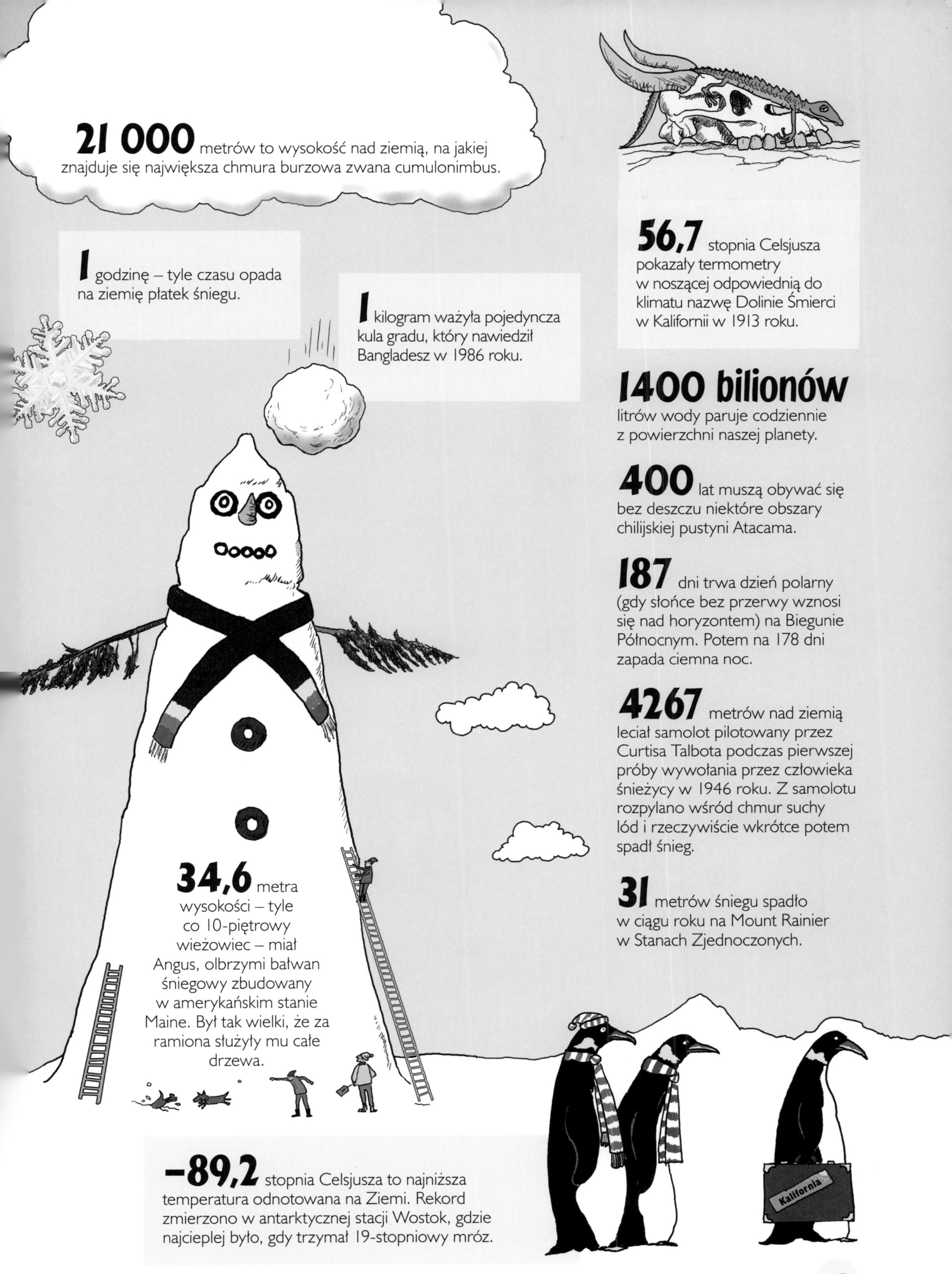


**21 000** metrów to wysokość nad ziemią, na jakiej znajduje się największa chmura burzowa zwana cumulonimbus.

**1** godzinę – tyle czasu opada na ziemię płatek śniegu.

**1** kilogram ważyła pojedyncza kula gradu, który nawiedził Bangladesz w 1986 roku.

**56,7** stopnia Celsjusza pokazały termometry w noszącej odpowiednią do klimatu nazwę Dolinie Śmierci w Kalifornii w 1913 roku.

**1400 bilionów** litrów wody paruje codziennie z powierzchni naszej planety.

**400** lat muszą obywać się bez deszczu niektóre obszary chilijskiej pustyni Atacama.

**187** dni trwa dzień polarny (gdy słońce bez przerwy wznosi się nad horyzontem) na Biegunie Północnym. Potem na 178 dni zapada ciemna noc.

**4267** metrów nad ziemią leciał samolot pilotowany przez Curtisa Talbota podczas pierwszej próby wywołania przez człowieka śnieżycy w 1946 roku. Z samolotu rozpylano wśród chmur suchy lód i rzeczywiście wkrótce potem spadł śnieg.

**31** metrów śniegu spadło w ciągu roku na Mount Rainier w Stanach Zjednoczonych.

**34,6** metra wysokości – tyle co 10-piętrowy wieżowiec – miał Angus, olbrzymi bałwan śniegowy zbudowany w amerykańskim stanie Maine. Był tak wielki, że za ramiona służyły mu całe drzewa.

**–89,2** stopnia Celsjusza to najniższa temperatura odnotowana na Ziemi. Rekord zmierzono w antarktycznej stacji Wostok, gdzie najcieplej było, gdy trzymał 19-stopniowy mróz.

# Starożytny Egipt

**4** dzbany sakralne służyły podczas balsamowania zwłok do umieszczenia odpowiednio wątroby, płuc, żołądka i jelit zmarłego.

**11** faraonów starożytnego Egiptu nosiło imię Ramzes, czyli Syn boga słońca Ra.

**2** brwi golili często starożytni Egipcjanie na znak żałoby po zmarłym kocie.

**6** królowych Egiptu nosiło imię Kleopatra jeszcze przed tą najsławniejszą, która została egipskim faraonem około 51 roku p.n.e.

**10** dni trwał tydzień w starożytnym Egipcie. Większość robotników dostawała jeden dzień wolnego raz na tydzień lub raz na dwa tygodnie. I jak tu narzekać na obecną szkołę?

**20** metrów wysokości – trzy razy więcej od żyrafy! – ma każdy z 4 gigantycznych posągów faraona Ramzesa II stojących przed poświęconą mu świątynią w Abu Simbel.

**102** lwy miał ubić strzałami z łuku faraon Amenhotep III.

**140**-metrowej wstęgi materiału potrzeba było do zawinięcia mumii.

**139** kul do podpierania się wykonanych z mahoniu, kości słoniowej, srebra i złota znaleziono w grobowcu Tutenchamona. Znaleziono też zakopane wraz z faraonem 6 rydwanów, 2 trony oraz mnóstwo innych przedmiotów codziennego użytku.

**700** lekarstw i naparów na różne choroby opisano w Papirusie Ebersa – zadziwiająco szczegółowym starożytnym poradniku medycznym. Wśród porad jest lista składników, które trzeba zmieszać z przetartym okiem świni, by przywrócić ślepemu wzrok.

**2000** bogów i bogiń czcili starożytni Egipcjanie. Niektóre z bóstw miały głowy zwierząt, jak Anubis, bóg zmarłych, czy Horus, bóg niebios.

**52,4** centymetra mierzył średnio egipski łokieć. Ta używana powszechnie w starożytności miara odpowiadała długości przedramienia dorosłego mężczyzny od łokcia do końca palców.

**1224** fragmenty drewna ze starożytnego okrętu egipskiego znaleziono zakopane w pobliżu grobowca faraona Chufu. Złożenie z nich ponownie długiego na 43,5 metra statku zajęło 13 lat.

**700** małych obrazków zwanych hieroglifami tworzyło alfabet staroegipski. Wszystkie z nich to spółgłoski, gdyż nie zapisywano samogłosek.

**100 000** – taką liczbę reprezentował hieroglif przypominający żabę lub ropuchę.

**100** w zapisie hieroglificznym ukazywał wizerunek zwiniętej liny.

**4**-metrowej długości krokodyl nilowy był bodaj największym zagrożeniem dla starożytnych Egipcjan, którzy chcieli łowić w rzece ryby, kąpać się lub prać odzież.

**70** dni musiało zazwyczaj upłynąć, zanim zwłoki zamieniły się w porządnie przygotowaną i zawiniętą mumię, gotową do pochowania.

**40** mumii znaleziono w 1881 roku pochowanych razem w Deir el Bahri. Wśród nich była mumia wielkiego faraona Ramzesa II. Gdy w 1974 roku przewożono ją do Paryża, wystawiono na nią paszport z nazwiskiem i wpisanym zawodem: faraon (martwy).

**180 000** mumii starożytnych zwierząt, głównie kotów, przewieziono pod koniec XIX wieku z Egiptu do Liverpoolu, by rozkruszyć je i rozsypać jako nawóz na angielskich polach.

**22** kamienne posągi pawianów można spotkać przed świątynią Ramzesa II w Abu Simbel. Wygląda na to, że starożytni Egipcjanie dostali małpiego rozumu!

**0** sztuk ubrania nosiły dzieci w starożytnym Egipcie – utrzymują historycy.

**5500** rydwanów uczestniczyło w największym ich starciu pod Kadesz około 3300 lat temu. Wojska faraona Ramzesa II zwyciężyły Hetytów na terenie dzisiejszej Syrii.

**3** pory roku wyróżniano w roku staroegipskim: achet – porę wylewów Nilu, peret – porę kiełkowania i wzrostu roślin oraz trwającą od naszego marca do maja szemu – porę zbiorów.

# Szalone budowle

**4,5** tony waży ogromny kryształowy żyrandol w tureckim Pałacu Dolmabahçe. To ciężar dorosłego słonia.

**30 milionów** płytek mozaiki zdobi dawny kościół Hagia Sophia w Stambule, obecnie muzeum.

**4** amerykańskie stany można zobaczyć w pogodne dni z Wieży Sears w Chicago.

**7** sztucznych wodospadów szumi w luksusowym hotelu Wynn Resort w Las Vegas.

**6500** okien ma budynek Empire State w Nowym Jorku.

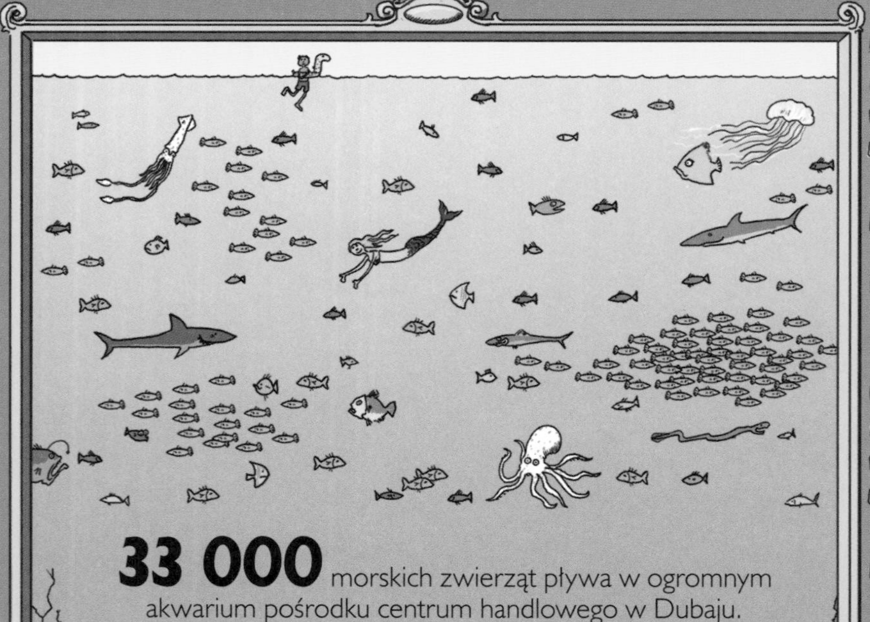

**33 000** morskich zwierząt pływa w ogromnym akwarium pośrodku centrum handlowego w Dubaju.

**4,2** metra długości ma wskazówka minutowa na londyńskim zegarze, który nosi popularną nazwę Big Ben.

**40 000** żarówek oświetla królewski pałac Buckingham w Londynie.

**35 000** dzieł sztuki mieści paryskie muzeum Luwr.

**1 056 006** dachówek pokrywa budynek słynnej opery w Sydney.

**410** dni trwała budowa nowojorskiego Empire State Building.

**102** to liczba pięter w budynku Empire State.

**20** procent drzew w japońskiej stolicy Tokio rośnie w ogrodach wokół Pałacu Cesarskiego.

**20 000** robotników budowało zabytkowy pałac Tadż Mahal w Indiach.

**28** rodzajów szlachetnych kamieni użyto przy budowie Tadż Mahal.

**44** windy ma najwyższy drapacz chmur w Londynie – the Shard.

**8704** pokoje mają pałace w Zakazanym Mieście w Pekinie.

**158** to piętro budynku Burdż Chalifa w Dubaju, gdzie mieści się najwyżej położony meczet.

**4** stopnie odchylenia od pionu ma Krzywa Wieża we włoskim mieście Piza.

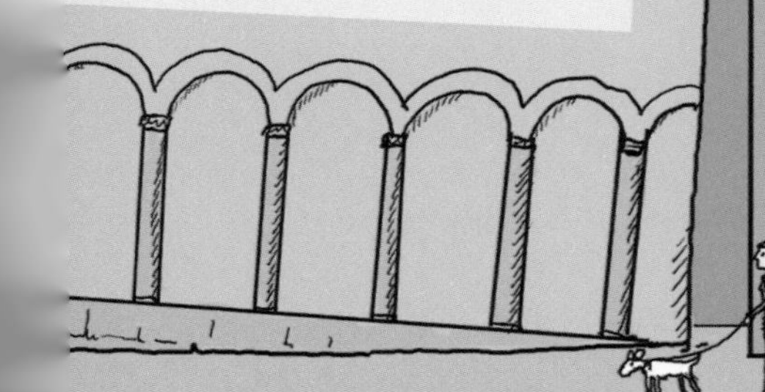

**100 000** osób zebrało się, by podziwiać wyczyn francuskiego wspinacza Alaina Roberta. Wszedł na budynek Banku Narodowego w Abu Dabi bez żadnych zabezpieczeń czy lin.

**1860** schodów trzeba pokonać, by wejść na taras widokowy budynku Empire State.

**78** łazienek jest w londyńskim pałacu Buckingham.

**50** ton farby potrzeba raz na siedem lat do odmalowania paryskiej Wieży Eiffela.

**100** kilogramów złota zużyto na pokrycie Złotej Świątyni w indyjskim Amritsarze.

**6225** metrów kwadratowych szkła wbudowano w gmach Opery w Sydney.

**1,5** godziny może zająć wyprowadzenie z garażu jednego z tysięcy samochodów należących do sułtana Brunei.

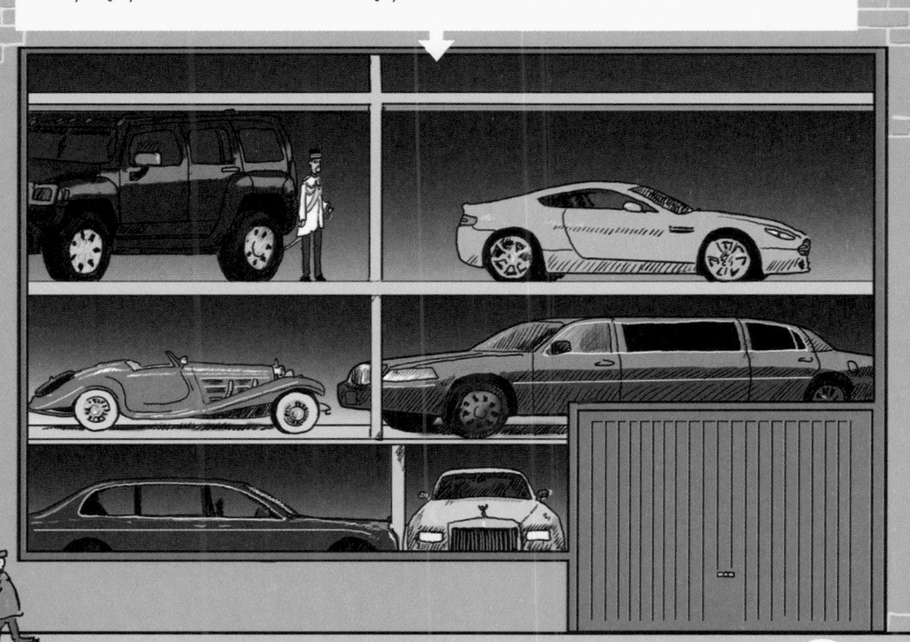

# Bitwy wielkich armii

**50 000** Rzymian zginęło w jednej tylko bitwie pod Kannami w 216 roku p.n.e. Triumfowały wojska sławnego wodza Hannibala.

**450** pocisków na minutę można było wystrzelić z karabinu maszynowego marki Lewis z czasów I wojny światowej.

**168** żołnierzy hiszpańskich zwanych konkwistadorami dotarło w 1532 roku do miasta Cajamarca w Ameryce Południowej. Odnieśli zwycięstwo nad wojskiem miejscowego ludu Inków, które liczyło około 80 tysięcy żołnierzy.

**300** metrów to dystans, na jaki wylatywał głaz ze starożytnej machiny oblężniczej zwanej trebuszem.

**42** kilometry i **195** metrów to dystans, jaki miał pokonać starożytny grecki posłaniec w roku 490 p.n.e., aby przekazać wieść o zwycięstwie w bitwie pod Maratonem. Współcześnie maraton to nazwa biegu na dystansie 42,195 km.

**4,8** kilometra na godzinę to maksymalna prędkość czołgu zwanego Mały Willie. Armia brytyjska wprowadziła go do walk podczas I wojny światowej.

**3** gołębie umieszczono w amerykańskiej rakiecie testowej w latach 40. XX wieku. Ptaki miały kierować pociskiem, stukając dziobami w ekran. Pomysł okazał się niewypałem.

**10–12** strzał na minutę mógł wystrzelić dobrze wyszkolony łucznik angielski.

**120** kilogramów ważył każdy z pocisków do Działa Paryskiego z czasów I wojny światowej.

**2 285 000** mężczyzn i kobiet służyło w chińskiej armii i siłach pomocniczych w 2011 roku.

**70** miast co najmniej zostało założonych przez słynnego wodza Aleksandra Macedońskiego podczas podbojów w Europie, Afryce i Azji dokonanych na czele 30-tysięcznej armii.

**1 357 800** francuskich żołnierzy zginęło na frontach I wojny światowej.

**2** francuskie regimenty omyłkowo zwróciły się przeciw sobie podczas bitwy pod Fleurus w 1690 roku. Ups!

**54** centy kosztowała upuszczona szpachelka, która w 1978 roku zablokowała turbiny amerykańskiej łodzi podwodnej Swordfish. Koszt napraw wyniósł 171 tysięcy dolarów.

**1** na **10** rzymskich legionistów karano w sposób zwany zdziesiątkowaniem. Gdy oddział dopuścił się przestępstwa, co dziesiąty żołnierz ponosił karę, czasem nawet śmierci.

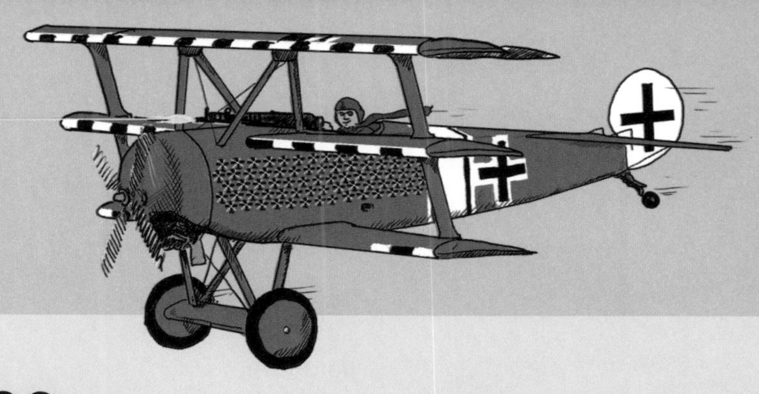

**3** tygodnie przed bitwą z Normanami pod Hastings (1066 r.) armia króla Harolda walczyła z Wikingami daleko na północy pod Stamford Bridge.

**51 112** zabitych lub rannych to szacowane straty obu stron podczas trwającej trzy dni bitwy pod Getysburgiem (1863 r.). Była to najbardziej zacięta bitwa amerykańskiej wojny secesyjnej.

**80** samolotów zestrzelił podczas I wojny światowej as niemieckiego lotnictwa – Manfred von Richthofen.

**250** to szacunkowa liczba kobiet, które przebrały się za mężczyzn, by walczyć w wojnie secesyjnej w latach 1861–1865.

**5** sekund upływało od odbezpieczenia „lepkiej bomby", czyli ręcznego granatu przeciwpancernego z czasów II wojny światowej, do wybuchu. Niestety pokrywająca go żywica lepiła się nieraz do rąk rzucającego żołnierza.

**1,2** metra długości miał macauhuitl – rodzaj miecza, którym walczyli żołnierze Azteków. Broń, mimo że drewniana, była niezwykle groźna, gdyż jej krawędzie nabijano ostrymi kawałkami obsydianu.

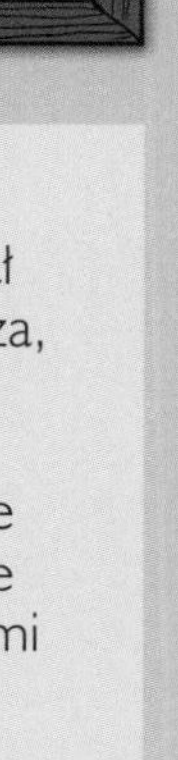

**60** procent brytyjskich oficerów wiodących żołnierzy do bitwy nad Sommą w trakcie I wojny światowej zginęło już pierwszego dnia walk.

**0** żołnierzy liczy armia Kostaryki. Od 1949 roku w tym środkowoamerykańskim kraju prawo zabrania utrzymywania stałego wojska.

**110** żołnierzy liczy najmniejsza armia świata. To gwardia szwajcarska, która stanowi od wieków ochronę papieży w Watykanie.

**5** rodzajów dział miał XVI-wieczny koreański okręt wojenny zwany żółwiem. Statek miał żelazny pancerz oraz dziób w kształcie smoczego łba, z którego tryskały płomienie mające przerazić wroga.

**21** lat trwało uznawane za najdłuższe w historii świata oblężenie stolicy Krety, Kandii (1648–1669).

**22 717** zabitych padło w ciągu jednego dnia bitwy nad Antietam – najkrwawszego starcia amerykańskiej wojny secesyjnej.

# Gwiazdy i planety

**27** księżyców krąży wokół planety Uran.

**3** kule wielkości Ziemi zmieściłyby się w strefie burzowej na Jowiszu o nazwie Wielka Czerwona Plama.

**164,8** roku ziemskiego ma jeden rok na Neptunie – tyle czasu zajmuje mu obrót wokół Słońca. Neptun to fatalne miejsce na obchodzenie urodzin.

**75,3** roku upływa między kolejnymi pojawieniami się na naszym niebie komety Halleya. Najbliższy taki spektakl odbędzie się w 2061 roku.

**299 792** kilometry na sekundę to prędkość, z jaką porusza się w próżni światło, na przykład słoneczne.

**25** kilometrów wysokości ma wulkan Mons Olympus na Marsie – najwyższy szczyt Układu Słonecznego. To 2,5 raza więcej niż ziemski Mount Everest.

**4000** kilometrów długości ma gigantyczny kanion Valles Marineris na Marsie. Miejscami ma 7 kilometrów głębokości, czyli 5 razy więcej niż amerykański Wielki Kanion.

**464** stopnie Celsjusza to temperatura powierzchni Wenus. Wystarczająco gorąco, by topiły się tam wszystkie metale, jak cyna, cynk czy ołów.

**3 miliardy** kilometrów to szacowana średnica czerwonego hiperolbrzyma VY Canis Majoris. To jedna z największych gwiazd we Wszechświecie, przeszło dwa tysiące razy większa od Słońca.

**317,8** planety wielkości Ziemi zrównałoby się masą z największą planetą Układu Słonecznego – Jowiszem.

**6 milionów** razy jaśniejsza od naszego Słońca jest niezwykle daleko położona gwiazda Cygnus OB2-12.

**1** planeta Układu Słonecznego – Saturn – ma gęstość mniejszą od wody, więc unosiłaby się na jej powierzchni (pod warunkiem, że powstałby wystarczająco wielki zbiornik wodny).

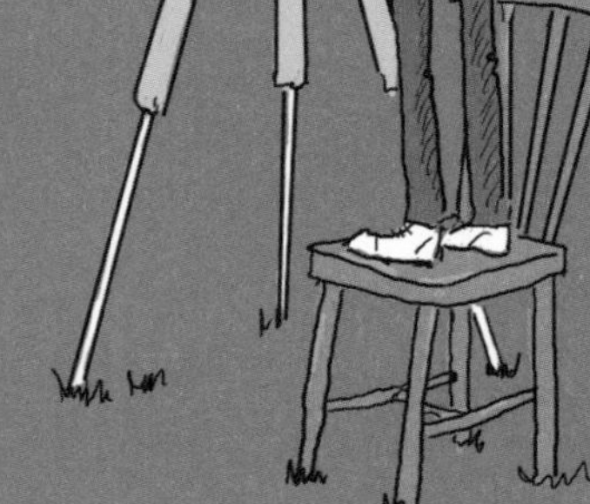

**10**-letnia Kathryn Aurora Gray to najmłodsza na świecie poszukiwaczka supernowych (wybuchających gwiazd). Udało jej się zaobserwować supernową w 2011 roku.

**43 000** kilometrów na godzinę to prędkość obrotowa Jowisza. Mimo że Jowisz jest znacznie większy od Ziemi, to pełny obrót, czyli jeden dzień, trwa tam niecałe 10 ziemskich godzin.

**5** funtów nagrody otrzymała w 1930 roku 11-letnia Venetia Burney za wskazanie nazwy Pluton, ostatecznie wybranej dla świeżo odkrytej planety. Obecnie Plutona zalicza się do planet karłowatych.

**200 miliardów** to szacowana liczba gwiazd w Drodze Mlecznej – galaktyce, do której należy też nasze Słońce.

**167 000** kilometrów średnicy ma najmniejsza gwiazda Ogle-TR-122b odkryta w 2004 roku. Gwiazda ta jest zaledwie o 16 procent większa od Jowisza.

**26,8** kilometra średnicy ma Fobos – większy z dwóch księżyców Marsa. Nasz Księżyc ma 3476 kilometrów średnicy.

**67** księżyców krąży wokół największej planety Układu Słonecznego – Jowisza.

**29,5** roku trwa pełny obrót Saturna wokół Słońca.

**716** razy na sekundę obraca się wokół własnej osi pulsar (gwiazda neutronowa) o skomplikowanej nazwie PSR J1748-2446ad. Można dostać zawrotu głowy!

**56 milionów** lat zajęłaby podróż samochodem z Ziemi do najbliższej gwiazdy Proxima Centauri (przy założeniu, że taka podróż byłaby możliwa).

**100 000** lat wędruje światło z jednego krańca Drogi Mlecznej na przeciwległy.

**42** ziemskie lata trwa na Uranie zima (i tyle samo pora letnia).

**90** stopni Celsjusza to temperatura najchłodniejszej jak dotąd zaobserwowanej gwiazdy, położonej około 75 lat świetlnych od Ziemi. Temperaturę większości gwiazd liczy się w tysiącach stopni.

**1** łyżeczka materii z wnętrza gwiazdy typu biały karzeł waży od 5 do 15 ton.

**13** księżyców krąży wokół Neptuna.

**23** nowe księżyce odkryto na orbitach wokół Jowisza w samym tylko 2003 roku. Dobra robota, astronomowie!

**120** kilometrów na sekundę to prędkość, z jaką poruszają się względem siebie galaktyki Drogi Mlecznej i Andromedy – z dużym prawdopodobieństwem zderzenia.

**3,3** roku potrzebuje kometa Enckego, by okrążyć Słońce. Jądra komet mają zazwyczaj 10-100 kilometrów średnicy, ale ogony rozgrzanych gazów potrafią ciągnąć się za nimi przez 100 milionów kilometrów.

**250** milionów kilometrów to szacowana długość ogona Wielkiej Komety obserwowanej w 1843 roku. Mniejsza odległość dzieli Ziemię od Marsa.

# Owady i robaki

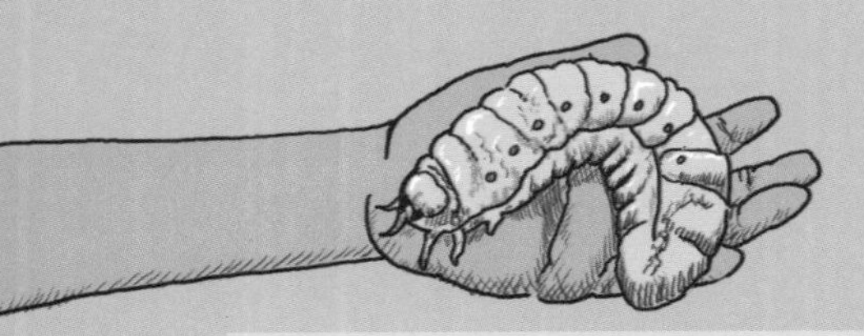

**80** procent zgonów w Afryce wywołanych jest przez malarię, chorobę przenoszoną przez komary.

**1417** różnych rodzajów owadów i chrząszczy trafia na stoły ludzi na całym świecie.

**205** gramów może osiągnąć pędrak (larwalna postać) chrząszcza rohatyńca.

**62 760** razy na minutę to rekord prędkości uderzeń skrzydełkami, jaki odnotowano u maleńkich muszek.

**3,5 biliona** sztuk szarańczy wyroiło się jednorazowo w Nebrasce w 1875 roku. Rój pokrywał 512 817 kilometrów kwadratowych.

**70** centymetrów to wysokość, na jaką może podskoczyć 6-milimetrowy pluskwiak z rodziny pienikowatych. Gdyby człowiek mógł tak skakać w porównaniu do swego wzrostu, przeskoczyłby 250-metrowy wieżowiec.

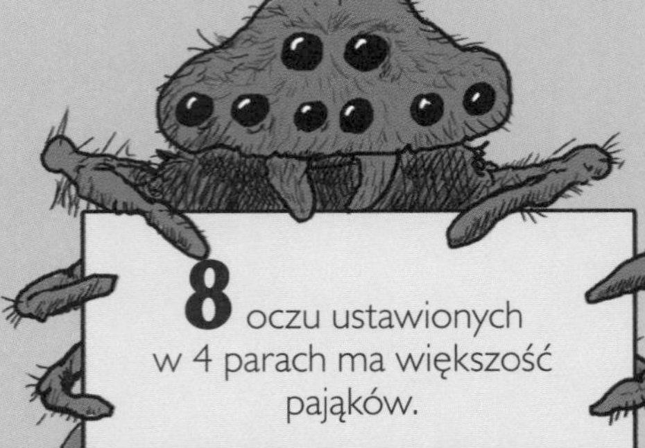

**8** oczu ustawionych w 4 parach ma większość pająków.

**55** metrów długości miała wstężnica, którą morze wyrzuciło na szkocką plażę w 1864 roku. To bezkręgowe zwierzę mogłoby się rozciągnąć na szerokość boiska do piłki nożnej.

**30** gatunków pająków ma jad na tyle silny, że mogą zagrażać ludziom. Prawie wszystkie spośród 40 tysięcy gatunków pająków wstrzykują jad przy ukąszeniu.

**6,7** metra długości osiągnęła ogromna dżdżownica znaleziona w Afryce w 1937 roku. Gdyby mogła stanąć wyprostowana, zajrzałaby w oczy żyrafie.

**3** dni mogą przeżyć w ciekłym azocie o temperaturze -196 stopni Celsjusza larwy pewnego gatunku meszek.

**900** gramów ważył największy zaobserwowany ślimak z gatunku achatina zwyczajna. Ten żyjący w Afryce gigant miał 39,3 centymetra długości.

**75** centymetrów rozpiętości miały skrzydła prehistorycznej ważki, która królowała w powietrzu jeszcze przed dinozaurami.

**300 milionów** lat temu w Ameryce Północnej wyewoluowały pierwsze karaluchy.

**30 000** jaj dziennie potrafi złożyć królowa termitów.

**30** centymetrów to rozstaw nóg największych pająków z rodziny spachaczowatych.

**750** nóg to rekord w świecie zwierząt. Tyle może mieć amerykańska stonoga z podtypu Myriapoda (grecka nazwa tysięcy nóg).

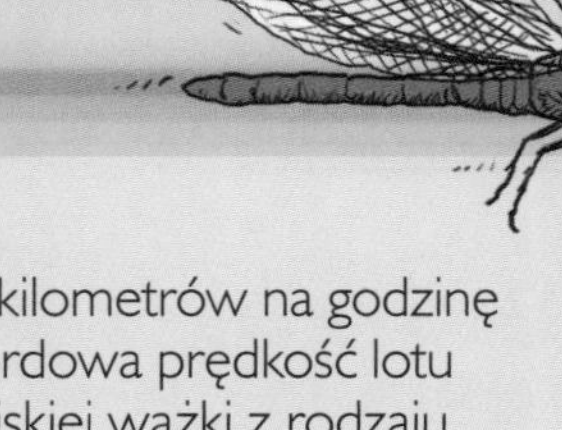

**3432** kilometry przeleciał pewien motyl z migrującego na południe gatunku monarchów. Dzięki nadajnikowi satelitarnemu można było śledzić jego lot.

**11** kilometrów – z takiej odległości motyl jedwabnika cesarskiego wyczuje samiczkę.

**58** kilometrów na godzinę to rekordowa prędkość lotu australijskiej ważki z rodzaju Hemianax, najszybszego owada na świecie.

**30** metrów sieci może utkać jeden pająk w ciągu dnia.

**5000** mszyc zjada przeciętnie jedna biedronka w ciągu całego życia.

**12,8** metra wysokości miał olbrzymi kopiec afrykańskich termitów, tyle co czteropiętrowa kamienica.

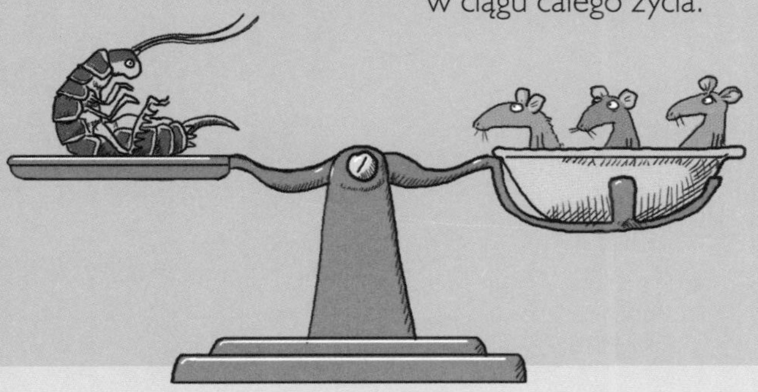

**71** gramów waży najcięższa na świecie dorosła postać owada – olbrzymia nowozelandzka weta. Jedna weta waży tyle, co trzy myszy.

**1,5** metra obwodu może mieć sieć pająka z rodziny prządkowatych.

**400 000** odrębnych gatunków chrząszczy jest znanych nauce. Z każdych czterech żyjących na Ziemi gatunków zwierząt jeden jest chrząszczem.

**86 000**-krotność ciała gąsienicy jedwabnika dębowego ważą liście pożarte przez nią w ciągu 5655 pierwszych dni życia.

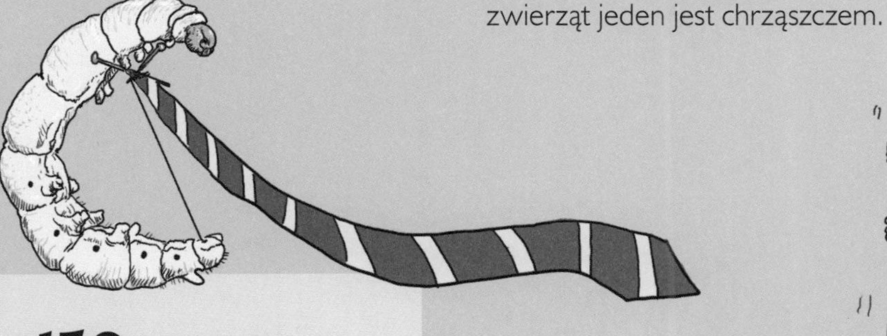

**150** kokonów jedwabnika potrzeba do zrobienia jedwabiu na jeden krawat.

**100** metrów długości i 1 metr szerokości może mieć maszerująca armia mrówek złożona nawet z miliona osobników.

**511** dżdżownic wyszło spod ziemi w ciągu zaledwie pół godziny szkolnego eksperymentu, który przeprowadził uczeń Tom Shufflebotham. Wystarczyło nakłuwać ziemię widłami.

# Ameryka Północna

**6194** metry wysokości ma położona na Alasce góra McKinley, najwyższy szczyt Ameryki Północnej.

**50** stanów wchodzi w skład Stanów Zjednoczonych Ameryki. Ostatnim, który przystąpił do unii w 1959 roku, były Hawaje.

**200 000** aligatorów żyje na bagnach Everglades na Florydzie.

**7,2 miliona** dolarów zapłaciły USA Rosji za terytorium Alaski.

**446** kilometrów długości ma Wielki Kanion w stanie Arizona. Głęboki nawet na 1800 metrów kanion należy do najbardziej widowiskowych cudów przyrody na świecie.

**21** procent światowych zasobów wody pitnej znajduje się w Wielkich Jeziorach na pograniczu USA i Kanady. Pięć jezior nosi nazwy: Górne, Michigan, Huron, Erie i Ontario.

**90** procent ludności Jamajki ma afrykańskie korzenie, choć wyspa ta leży po drugiej stronie oceanu.

**23** państwa zalicza się do Ameryki Północnej (wraz ze Środkową). Są to: Kanada, Stany Zjednoczone, Antigua, Wyspy Bahama, Barbados, Jamajka, Haiti, Dominika, Republika Dominikana, Trynidad i Tobago, St. Kitts i Nevis, Santa Lucia, St. Vincent i Grenadyny, Kuba, Grenada, Panama, Belize, Kostaryka, Salwador, Honduras, Gwatemala, Meksyk i Nikaragua. Do kontynentu należy też wyspa Grenlandia, ale jest to terytorium zależne królestwa Danii.

**269** kilometrów kwadratowych powierzchni mają wyspy St. Kitts i Nevis – najmniejsze państwo północnoamerykańskie.

**42** wulkany wyróżnia się na terytorium Meksyku. Wiele z nich jest wciąż aktywnych.

**75** procent wszystkich gejzerów (gorących źródeł) świata tryska w amerykańskim Parku Narodowym Yellowstone.

**24 230 000** kilometrów kwadratowych to powierzchnia Ameryki Północnej.

**4088** kilometrów długości ma Missouri – najdłuższa rzeka na kontynencie.

**80 000** ludzi pracowało przy kopaniu Kanału Panamskiego łączącego oceany Atlantycki i Spokojny. Obecnie zamiast przemierzać 12 880 kilometrów wokół Ameryki Południowej wystarczy przepłynąć 30 kilometrów kanałem.

**4,8** procent powierzchni Ziemi zajmuje Ameryka Północna.

**209** indiańskich języków wciąż używa się w USA i Kanadzie. Jeszcze więcej można usłyszeć w Ameryce Środkowej i Meksyku.

**13** pasków i **50** gwiazd ozdabia flagę Stanów Zjednoczonych. Oznaczają odpowiednio liczbę stanów założycielskich i obecnych.

**4800** kilometrów długości ma pasmo Gór Skalistych, które rozciągają się od Kanady na północy po amerykański stan Nowy Meksyk na południu.

**98** procent wysp i wysepek na Karaibach jest niezamieszkanych.

**2** języki uznaje się za oficjalne w Kanadzie: angielski i francuski. Niemal jedna piąta ludności używa obydwóch.

**40** miliardów hamburgerów zjada się co roku w Ameryce.

**7000** wysp i atoli można doliczyć się na Morzu Karaibskim.

**2 miliony** jezior jest rozrzuconych na terytorium Kanady. Zawierają dość wody, by pokryć 2-metrową warstwą całe terytorium kraju.

**40** procent światowych zbiorów kukurydzy pochodzi z USA.

**20** metrów wysokości osiąga największy gatunek kaktusa na świecie zwany kardonem. Ponad 200-letnie kaktusy rosną na pustyniach północnego Meksyku i na południu USA.

**4** prezydentów USA ma swoje podobizny wyrzeźbione w zboczu Góry Rushmore w Dakocie Południowej. Są to: Jerzy Waszyngton, Thomas Jefferson, Theodore Roosevelt i Abraham Lincoln.

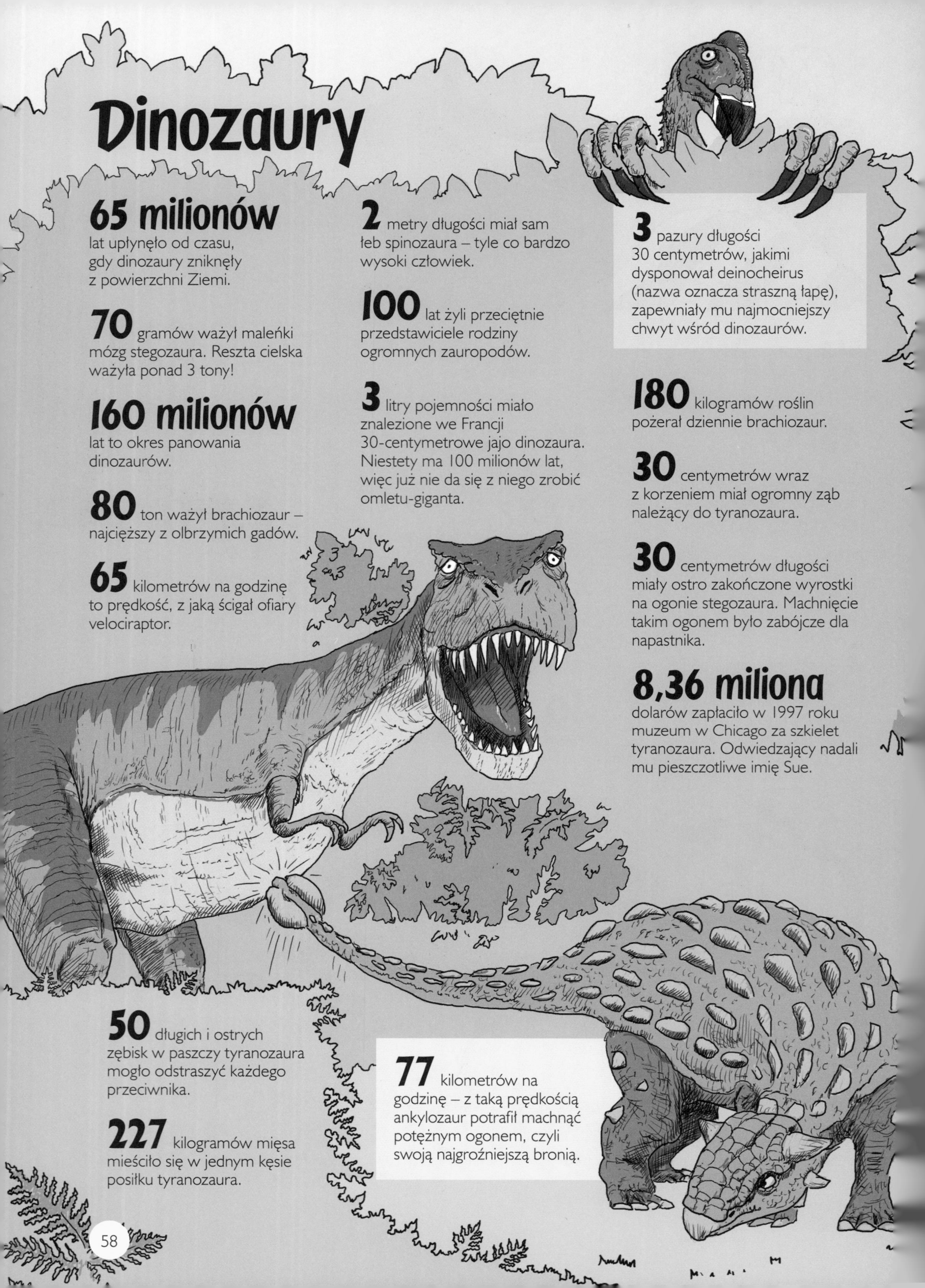

# Dinozaury

**65 milionów**
lat upłynęło od czasu, gdy dinozaury zniknęły z powierzchni Ziemi.

**70** gramów ważył maleńki mózg stegozaura. Reszta cielska ważyła ponad 3 tony!

**160 milionów**
lat to okres panowania dinozaurów.

**80** ton ważył brachiozaur – najcięższy z olbrzymich gadów.

**65** kilometrów na godzinę to prędkość, z jaką ścigał ofiary velociraptor.

**2** metry długości miał sam łeb spinozaura – tyle co bardzo wysoki człowiek.

**100** lat żyli przeciętnie przedstawiciele rodziny ogromnych zauropodów.

**3** litry pojemności miało znalezione we Francji 30-centymetrowe jajo dinozaura. Niestety ma 100 milionów lat, więc już nie da się z niego zrobić omletu-giganta.

**3** pazury długości 30 centymetrów, jakimi dysponował deinocheirus (nazwa oznacza straszną łapę), zapewniały mu najmocniejszy chwyt wśród dinozaurów.

**180** kilogramów roślin pożerał dziennie brachiozaur.

**30** centymetrów wraz z korzeniem miał ogromny ząb należący do tyranozaura.

**30** centymetrów długości miały ostro zakończone wyrostki na ogonie stegozaura. Machnięcie takim ogonem było zabójcze dla napastnika.

**8,36 miliona**
dolarów zapłaciło w 1997 roku muzeum w Chicago za szkielet tyranozaura. Odwiedzający nadali mu pieszczotliwe imię Sue.

**50** długich i ostrych zębisk w paszczy tyranozaura mogło odstraszyć każdego przeciwnika.

**227** kilogramów mięsa mieściło się w jednym kęsie posiłku tyranozaura.

**77** kilometrów na godzinę – z taką prędkością ankylozaur potrafił machnąć potężnym ogonem, czyli swoją najgroźniejszą bronią.

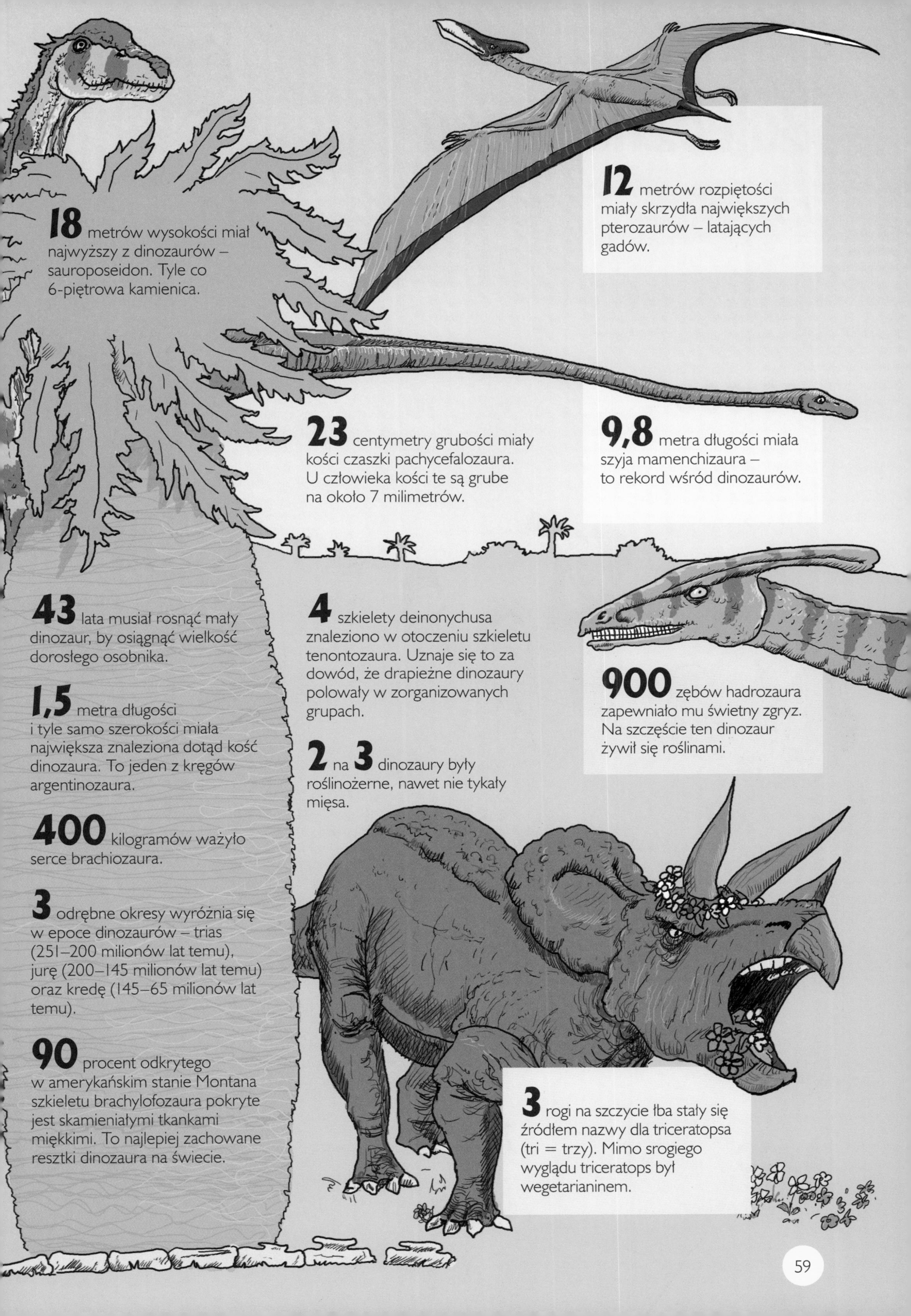

**18** metrów wysokości miał najwyższy z dinozaurów – sauroposeidon. Tyle co 6-piętrowa kamienica.

**12** metrów rozpiętości miały skrzydła największych pterozaurów – latających gadów.

**23** centymetry grubości miały kości czaszki pachycefalozaura. U człowieka kości te są grube na około 7 milimetrów.

**9,8** metra długości miała szyja mamenchizaura – to rekord wśród dinozaurów.

**43** lata musiał rosnąć mały dinozaur, by osiągnąć wielkość dorosłego osobnika.

**1,5** metra długości i tyle samo szerokości miała największa znaleziona dotąd kość dinozaura. To jeden z kręgów argentinozaura.

**400** kilogramów ważyło serce brachiozaura.

**3** odrębne okresy wyróżnia się w epoce dinozaurów – trias (251–200 milionów lat temu), jurę (200–145 milionów lat temu) oraz kredę (145–65 milionów lat temu).

**90** procent odkrytego w amerykańskim stanie Montana szkieletu brachylofozaura pokryte jest skamieniałymi tkankami miękkimi. To najlepiej zachowane resztki dinozaura na świecie.

**4** szkielety deinonychusa znaleziono w otoczeniu szkieletu tenontozaura. Uznaje się to za dowód, że drapieżne dinozaury polowały w zorganizowanych grupach.

**2** na **3** dinozaury były roślinożerne, nawet nie tykały mięsa.

**900** zębów hadrozaura zapewniało mu świetny zgryz. Na szczęście ten dinozaur żywił się roślinami.

**3** rogi na szczycie łba stały się źródłem nazwy dla triceratopsa (tri = trzy). Mimo srogiego wyglądu triceratops był wegetarianinem.

# Bajeczna moda

**7,5** centymetra długości miały stopy chińskich dziewcząt krępowane w ramach obyczaju zwanego Stopą Lotosu. Polegał on na łamaniu kości i wiązaniu rosnących stópek. Surowo zakazano go dopiero w 1949 roku.

**1060** par butów znaleziono w rezydencji prezydentowej Filipin Imeldy Marcos, gdy wraz z mężem wydalono ją z kraju.

**450** milionów par dżinsów sprzedaje się co roku w USA.

**70 000** zdjęć robi średnio fotoreporter podczas Tygodnia Mody w Nowym Jorku.

**16** par rękawiczek nałożonych jedna na drugą nosił ich wielki miłośnik – książę Filip Kalabryjski.

**642** rubiny inkrustowały parę migoczących butów, które zaprojektował Stuart Weitzman.

**2,69** kilometra długości miał ogromny wybieg dla modelek w stolicy Turcji Ankarze.

**2** kilometry długości miał rekordowy tren u sukni pewnej ekscentrycznej panny młodej!

**3500** par baletek zużywają rocznie baleriny Brytyjskiego Baletu Królewskiego.

**76** centymetrów wysokości miały platformy zwane Chopinami, bardzo modne w XVI-wiecznej Wenecji.

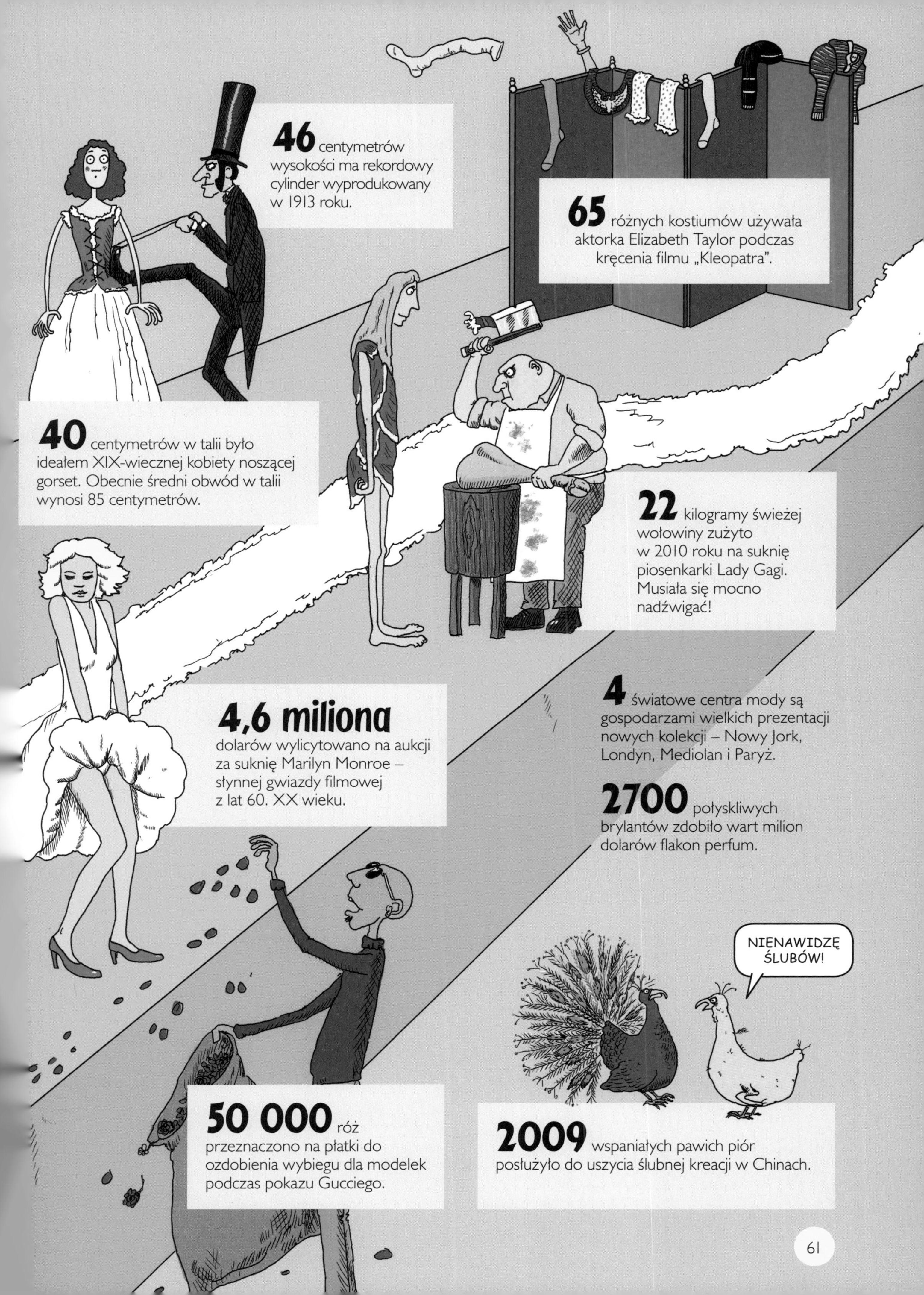


**46** centymetrów wysokości ma rekordowy cylinder wyprodukowany w 1913 roku.

**65** różnych kostiumów używała aktorka Elizabeth Taylor podczas kręcenia filmu „Kleopatra".

**40** centymetrów w talii było ideałem XIX-wiecznej kobiety noszącej gorset. Obecnie średni obwód w talii wynosi 85 centymetrów.

**22** kilogramy świeżej wołowiny zużyto w 2010 roku na suknię piosenkarki Lady Gagi. Musiała się mocno nadźwigać!

**4,6 miliona** dolarów wylicytowano na aukcji za suknię Marilyn Monroe – słynnej gwiazdy filmowej z lat 60. XX wieku.

**4** światowe centra mody są gospodarzami wielkich prezentacji nowych kolekcji – Nowy Jork, Londyn, Mediolan i Paryż.

**2700** połyskliwych brylantów zdobiło wart milion dolarów flakon perfum.

**50 000** róż przeznaczono na płatki do ozdobienia wybiegu dla modelek podczas pokazu Gucciego.

**2009** wspaniałych pawich piór posłużyło do uszycia ślubnej kreacji w Chinach.

# Straszna śmierć

**834 miliony** razy musiałbyś skorzystać z wesołego miasteczka, zanim – statystycznie rzecz biorąc – przydarzyłby ci się śmiertelny wypadek.

**23** razy większe ryzyko wypadku odnotowano u kierowców, którzy piszą SMS-y w czasie jazdy.

**–196** stopni Celsjusza to temperatura, do której zamraża się ludzkie ciało lub sam mózg w ramach tak zwanej kriokonserwacji. W takim stanie ciała czekają na medyków z przyszłości, którzy być może zdołają je przywrócić do życia.

**30 000** dolarów kosztuje trumna w wersji deluxe wykonana z pozłacanego brązu.

**140** centymetrów długości miała w 1567 roku broda, jaką zapuścił Hans Steininger. W tymże roku dumny posiadacz nadepnął na nią i upadł, łamiąc kark.

**600** osób ginie średnio co roku w samych USA wskutek upadku z łóżka.

**4 miliardy** funtów spadku w 2009 roku odziedziczyli po zmarłej babci dwaj Węgrzy – Zsolt i Geza Peladi. Bracia nie mieli grosza przy duszy i mieszkali w jaskini, żywiąc się odpadkami, gdy pracownicy opieki społecznej przekazali im tę wiadomość.

**200 000** funtów odziedziczyli w 1862 roku synowie niejakiego Henry'ego Budda. W ostatniej woli zawarto jeden warunek: spadkobiercom nie wolno było zapuścić wąsów.

**21** osób utonęło w 1919 roku w melasie, gdy potężna fala słodkiej mieszanki z pękniętego zbiornika zalała ulice Bostonu.

**13** dział oddało salut armatni w 1794 roku ze statku Szakal dla uczczenia amerykańskiego odkrywcy Johna Kendricka. Niestety honorowy gość stał na pokładzie swej łodzi nieopodal i jeden z pocisków trafił go, zabijając na miejscu. Ups!

**20** minut po egzekucji Williama Townleya w Gloucester w 1811 roku pod szubienicę podjechał konno posłaniec z pismem, w którym sędzia anulował wyrok śmierci.

**11** cięć toporem musiał wykonać niezdarny kat podczas egzekucji nieszczęsnej Księżnej Salisbury w 1541 roku.

**163** tony śmieci, od stosów gazet po zepsute wózki dziecięce, wywieziono z nowojorskiego apartamentu po śmierci mieszkających w nim dwóch braci. Jeden zginął przygnieciony śmieciami, a drugi umarł z głodu, nie mogąc wydostać się z mieszkania.

**870–980** stopni Celsjusza to temperatura wewnątrz pieca kremacyjnego, w którym można spopielić zwłoki.

**7** lat upłynęło od pochowania żony, gdy malarz i poeta Dante Gabriel Rossetti zdecydował się odkopać jej trumnę. Chciał odzyskać jedyne egzemplarze poematów, które wraz z nią pochował.

**1500** godzin pracy zajmuje plastynacja zwłok. To proces polegający na zastąpieniu płynów ustrojowych polimerami, rodzajem płynnego plastiku.

**37** osób zginęło w USA w latach 1978–1995 przygniecionych automatami do sprzedaży. Klienci zbyt mocno potrząsali maszynami!

**95** państw zniosło karę śmierci.

**2427** osób zginęło w 1618 roku pod gigantyczną lawiną w szwajcarskim miasteczku Plurs.

**1** na **79 842** to prawdopodobieństwo śmierci w wyniku użądlenia przez pszczołę, osę lub szerszenia.

**21 000** ludzkich szkieletów spoczywa w podziemiach Kaplicy Czaszek w Czermnej koło Kudowy. Nazwa pochodzi od setek kości, którymi udekorowano ściany i sufit kaplicy.

**9** osób zginęło wskutek pęknięcia w 1814 roku zbiorników londyńskiego browaru. Na ulice wylało się ponad milion litrów piwa.

**32** członków załogi okrętu Trinidad zginęło w 1942 roku od wybuchu własnej, uszkodzonej torpedy. Pocisk zatoczył duże koło i uderzył w okręt, z którego został wystrzelony.

**29** lat upłynęło, od kiedy angielski odkrywca Sir Walter Raleigh został ścięty, a jego żona wciąż przechowywała głowę męża w torbie z czerwonej skóry.

# Maszyny potwory

**113** przyczep uciągnęła w 2006 roku jedna ciężarówka. Razem utworzyły pojazd długości 1,47 kilometra.

**90** sekund, a nawet mniej, potrzebuje latające auto Terrafugia Transition®, aby po wylądowaniu złożyć skrzydła i włączyć się do ruchu.

**2,3** sekundy zajmuje Bugatti Veyronowi pełne wyhamowanie, jeśli wcześniej jechał z prędkością 100 kilometrów na godzinę.

**202,9** kilometra na godzinę to prędkość osiągnięta w 2009 roku przez bezsilnikowy pojazd o nazwie Greenbird. Na dnie wyschniętego jeziora w stanie Nevada rozpędzał się tylko siłą wiatru.

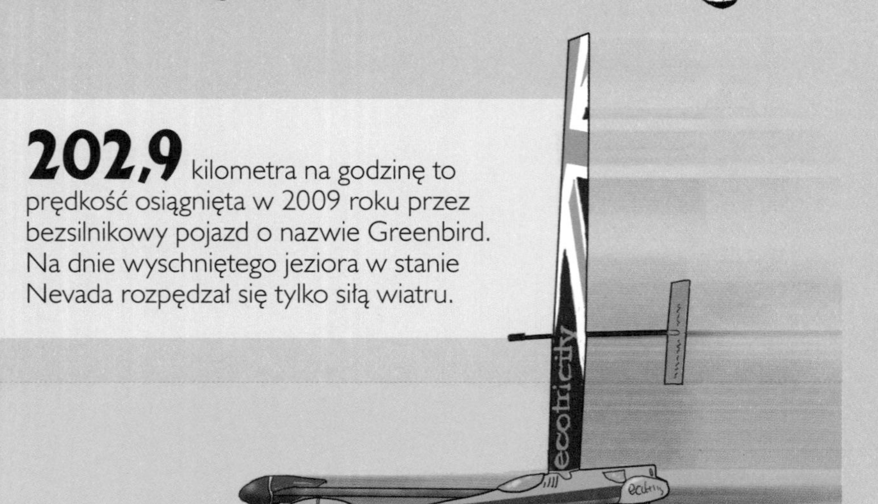


**3** miliony dolarów kosztuje najdroższy na świecie kamper zwany RV. Wraz z luksusowym domem na kółkach otrzymujemy taras do opalania, kominek oraz farbę odblaskową, by łatwo było doń trafić nocą.

**0,8** sekundy trwa rozpędzenie specjalnego typu pojazdów wyścigowych zwanych dragsterami od startu do prędkości 160 kilometrów na godzinę.

**266** kilometrów na godzinę to prędkość, do jakiej rozpędził się na motocyklu niejaki Billy Baxter. Został rekordzistą wszechczasów wśród niewidomych motocyklistów.

**18** litrów paliwa na sekundę spalają odrzutowe silniki naddźwiękowego samochodu Thrust SSC. Pobił on rekord świata w prędkości jazdy po lądzie – 1228 kilometrów na godzinę.

**85** samolotów równocześnie może stacjonować na gigantycznym lotniskowcu USS Nimitz.

**6318** pasażerów mieści największy statek wycieczkowy świata – Allure of the Seas, firmy RCI. Statek ma 362 metry długości, na pokładzie znajduje się biblioteka, lodowisko i park z przeszło 12 tysiącami roślin.

**890** kilogramów stali i 3850 kilogramów gumy to skład opony typu 59/80R63 XDR do gigantycznych wywrotek kopalnianych. Z takiej ilości gumy można wyprodukować 600 zwykłych opon.

**38 000** centymetrów sześciennych (cc) pojemności ma potężny silnik 5,5-metrowej długości motocykla Harzer Bike Schmiede. Silniki zwykłych samochodów mają średnio 1200–2200 cc.

**150 000** różnych pomiarów co sekundę wysyła do bazy zespołu wyścigowego komputer pokładowy bolidu Formuły 1 Williams FW26.

**398** metrów długości ma Emma Maersk, ogromny kontenerowiec. Nie zmieściłby się na długości czterech boisk piłkarskich.

**61,57** metra – takiej długości był skok z rampy, dzięki któremu w 1999 roku monster truck przeleciał nad samolotem Boeing 727. To dopiero wyczyn!

**50** samochodów może zabrać na pokład samolot transportowy Antonow An-225 Mrija. Całkowity udźwig tego giganta to 250 ton.

**1088** kilogramów – waga dwóch żywych koni – waży 3-metrowej wysokości opona monster trucka Bigfoot 5.

**418** pasażerów oraz do 60 samochodów przewoził w latach 1968–2000 największy cywilny poduszkowiec SR.N4, który operował na kanale La Manche.

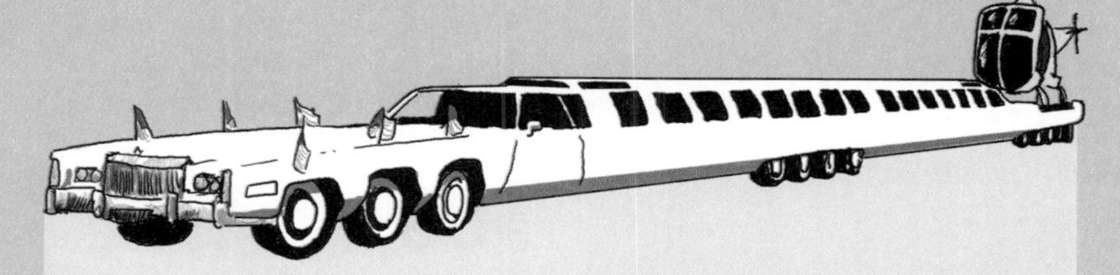

**26** kół ma najdłuższa limuzyna świata. Pojazd długości 30 metrów wyposażono w taras do opalania, jacuzzi i miejsce do lądowania dla helikoptera.

**85** ton skał i ziemi może nabrać za jednym razem koparka Terex RH 400 – tyle samo waży 20 hipopotamów.

**120** stopni Celsjusza to temperatura, do jakiej rozgrzewają się podczas wyścigu opony bolidu Formuły 1 – można by na nich usmażyć jajecznicę.

**22**-tonową bryłę lodu z zamarzniętym cielskiem dawno wymarłego mamuta uniósł w powietrze i przetransportował do laboratorium potężny śmigłowiec Mi-26.

**0,06** sekundy trwa w motocyklu Honda Goldwing GL1800 wykrycie przez komputer zagrożenia wypadkiem oraz napełnienie azotem poduszki powietrznej, która chroni głowę motocyklisty.

**297,4** litra paliwa na kilometr zużywa specjalny ciągnik przewożący wahadłowiec kosmiczny na miejsce startu.

**853** pasażerów zabiera na pokład ogromny samolot Airbus A380.

**605** kilometrów na godzinę to maksymalna prędkość olbrzymiej ciężarówki Shockwave napędzanej 3 silnikami odrzutowymi.

# Groźne zwierzaki

**471** ludzi zabiły rekiny od 1580 roku. 1992 osoby przeżyły atak rekina.

**180** centymetrów wysokości ma kazuar, australijski ptak, który rozeźlony potrafi zadać nogą cios śmiertelny dla człowieka.

**800** ludzi rocznie umiera na Sri Lance od ukąszenia węża. To najbardziej ryzykowny do zamieszkania kraj świata, jeśli boisz się węży.

**10–15** surferów rocznie zostaje pogryzionych przez rekiny przy plaży New Smyrna na Florydzie.

**1** gatunek dzikich ptaków – wojownika wspaniałego – podejrzewa się o okazjonalne polowanie na ludzi. Wokół gniazd tych afrykańskich jastrzębiowatych znajdowano szczątki ludzkich dzieci.

**2,25** metra długości ma przeciętnie samiec smoka z Komodo, największa jaszczurka świata, przy tym jedyna, która potrafi zabić i pożreć człowieka.

**7** na **23** gatunki krokodylowatych uznano za niebezpieczne dla człowieka.

**750 000** parzydełek mieści się na każdym z polipów żeglarza portugalskiego, nawet 30-metrowej długości – oceanicznego rurkopława podobnego do meduzy. Oparzenia są dla ludzi niezwykle bolesne, ale rzadko śmiertelne.

**1600** kilogramów to szacowany nacisk szczęk żarłacza ludojada.

**1** człowieka zabiła najdziksza z fok – lampart morski. Przynajmniej o tylu wiadomo.

**600** miligramów jadu z ukąszenia tylko jednej olbrzymiej żmii gabońskiej wystarczyłoby do zabicia 10 dorosłych ludzi.

**500** osób rocznie zabijają słonie, przeważnie tratując na śmierć.

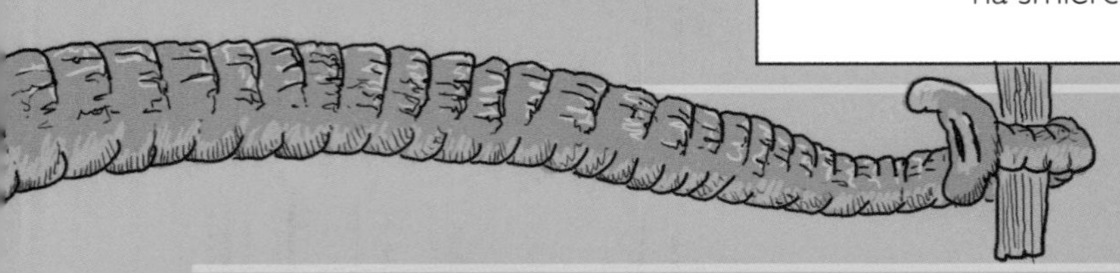

**20 000** myszy może zabić trucizna zebrana ze skóry jednego liściołaza złocistego.

**30** godzin może konać człowiek po ukąszeniu przez indyjskiego skorpiona rudego.

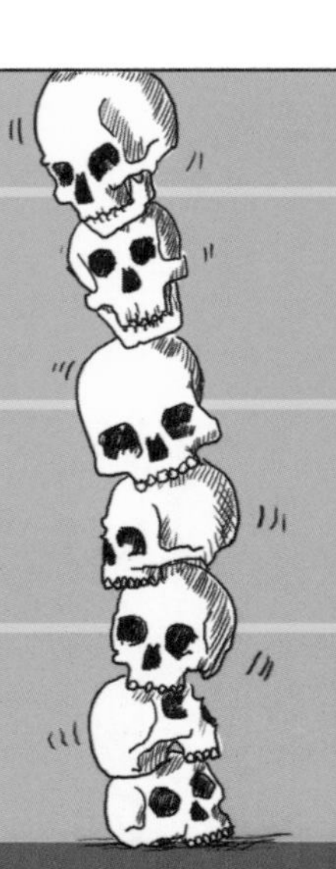

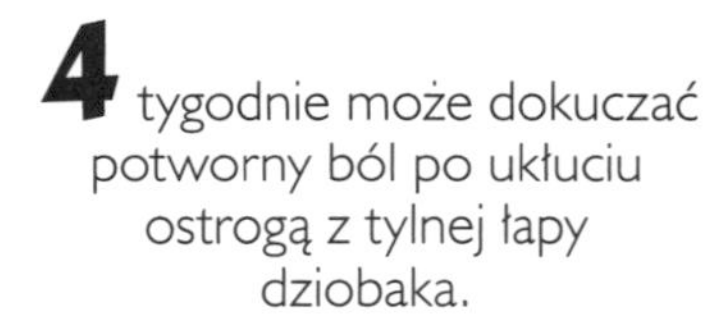

**4** tygodnie może dokuczać potworny ból po ukłuciu ostrogą z tylnej łapy dziobaka.

**2** metry to rekordowa odległość, na jaką strzela ze swych kłów kobra plująca. Gad celuje jadem w oczy ofiary, co często powoduje ślepotę.

**10** centymetrów długości ma średnio stożek geograficzny – jadowity gatunek ślimaka, który kąsa ryby lejkowatym rostrum wysuwanym spod muszli.

**300** osób rocznie ginie średnio od ataku rozjuszonych hipopotamów. To najgroźniejsze wielkie zwierzę afrykańskie.

**19** kilometrów na godzinę to prędkość posuwania się niezwykle jadowitej czarnej mamby. Wielu ofiarom trudno uciec przed tak szybkim wężem.

**1,35** miligrama niezwykle silnego jadu mieści się w centymetrowej długości gruczołach wędrującego pająka.

**14** osób zginęło dawniej w Australii z powodu ukąszenia tamtejszego pająka, kuzyna czarnej wdowy. Od 1956 roku, gdy opracowano antidotum na jego silny jad, nie odnotowano ani jednego śmiertelnego przypadku.

**2,5 miliona** osób rocznie zostaje ukąszonych przez węża, z czego 125 000 śmiertelnie.

**650** woltów to napięcie iskry wytwarzanej przez węgorza elektrycznego – dość do zabicia człowieka.

**10** centymetrów długości zaledwie ma ośmiorniczka z rodzaju Hapalochlaena, ale jadu z niej wystarczyłoby do zabicia 10 ludzi.

**3** gatunki ptaków pitohui mają trujące mięso. Ta rodzina wilg z Nowej Gwinei nie nadaje się do jedzenia.

**700** kilogramów waży afrykański bawół przylądkowy. Nawet lwy wolą nie zadzierać z tak wielkim i budzącym grozę zwierzęciem.

**462** szwy musiał mieć założone rybak Rodney Fox pogryziony w 1963 roku przez żarłacza ludojada.

**300** osób jednego dnia 1981 roku zostało pożartych przez piranie, gdy wioząca je po jednej z brazylijskich rzek łódź wywróciła się do góry dnem.

**3** osoby giną średnio na rok w Stanach Zjednoczonych w paszczy dzikich niedźwiedzi.

**20** minut życia zostałoby ci, gdybyś połknął trującą część rozdymki tygrysiej. Zwana z japońska „fugu", ryba ta jest wysoko ceniona w tamtejszej kuchni, gdzie specjalnie szkoli się kucharzy, jak usuwać trujące organy, zostawiając tylko wyborne mięso.

**4** biegaczy zaatakował szponami myszołów w szkockim mieście Fife w 2009 roku.

# Rzymianie

**6** dni szalał straszliwy pożar, który strawił dużą część Rzymu w 64 roku n.e. Plotkowano, że miasto podpalił sam cesarz Neron.

JAKI PIĘKNY POŻAR!

**1** osoba w Imperium Rzymskim miała prawo nosić togę w kolorze purpury – był nią cezar. Pomniejsi dostojnicy mogli czasem jedynie dołożyć do stroju purpurowy pas.

**7** wzgórz składało się na starożytne miasto Rzym: Awentyn, Celius, Kapitol, Eskwilin, Palatyn, Kwirynał oraz Wiminał.

**3** metry materiału potrzebne były na togę – rodzaj tuniki noszonej przez Rzymian.

**7** liter służyło do zapisu liczb w starożytnym Rzymie: I (1), V (5), X (10), L (50), C (100), D (500) i M (1000). Inne liczby powstawały ze składania tych liter.

**60 milionów** ludzi mieszkało, w czasach największego rozkwitu, na terenie imperium rzymskiego.

**6,5 miliona** kilometrów kwadratowych powierzchni miało Imperium Rzymskie w okresie największego rozkwitu.

**25** procent ludności starożytnego Rzymu stanowili niewolnicy.

**6000** niewolników ukarano śmiercią po zdławieniu powstania gladiatorów pod wodzą Spartakusa.

**45** metrów wysokości ma Monte Testaccio usypane z milionów potłuczonych naczyń ceramicznych zwanych amforami, które służyły Rzymianom do przechowywania żywności. Wzgórze jest jednym wielkim starożytnym wysypiskiem.

**3** głowy miał Cerber, pies z rzymskich i greckich mitów, który miał strzec wejścia do świata podziemi. Przede wszystkim jednak Cerber pilnował, by nikt stamtąd nie wyszedł.

**2** braci – Romulus i Remus – w 753 roku p.n.e. założyło miasto Rzym. Według legendy chłopców wykarmiła wilczyca.

WRRR!

**0** to liczba, której nie znali i nie potrafili zapisać starożytni Rzymianie.

**32** cesarzy rzymskich zamordowano w ciągu pięciu wieków istnienia cesarstwa.

**12** najważniejszych bogów (nie licząc setek pomniejszych) wyróżniano w rzymskim panteonie. Byli to: Jowisz, Junona, Neptun, Minerwa, Mars, Wenus, Apollo, Diana, Wulkan, Westa, Merkury oraz Ceres.

**47** współczesnych państw leżało w całości lub częściowo na terytorium Imperium Rzymskiego.

**20** rzymskich mil (29,6 km) to dystans, na którego przemarsz w pełnym rynsztunku rzymski legionista miał zaledwie 5 godzin.



**37** słoni bojowych przeprowadził przez Alpy kartagiński wódz Hannibal jako ważny składnik armii, która miała zdobyć Rzym.

**25** lat musiał odsłużyć rzymski legionista przed odejściem do cywila.

**55** centymetrów długości miał krótki rzymski miecz zwany gladius.

**6000** żołnierzy liczył starożytny legion – tak nazywano rzymską armię.

**3000** gladiatorów walczyło na arenie w ciągu jednego dnia podczas największych igrzysk w starożytnym Rzymie.

**100 000** zrewoltowanych Brytów pod wodzą królowej Boudiki zniszczyło trzy duże rzymskie miasta, w tym Londyn.

**20 000** niewolników mógł mieć każdy z najzamożniejszych Rzymian.

# Zdumiewające przypadki

**15** piranii zjadał dziennie Ed Stafford podczas imponującej wędrówki w 2008 roku wzdłuż Amazonki, która od źródeł do ujścia ma przeszło 6500 kilometrów.

**12** shake'ów czekoladowych to jedyne pożywienie, jakim dysponował Steve Fossett podczas lotu dookoła świata w 2005 roku samolotem o nazwie Virgin Atlantic GlobalFlyer. Lot trwał 67 godzin i była to pierwsza nieprzerwana, samodzielna podróż dookoła świata bez postoju na tankowanie.

**69** dni spędził nurek Richard Presley w zatopionym pomieszczeniu u wybrzeży Florydy.

321 metrów leci się
z najwyższego na świecie
bungee ulokowanego
na moście Króla Jerzego
w stanie Kolorado.
Skok tylko dla odważnych!


**250** metrów nad ziemię uniósł się balon, którym słynny odkrywca Robert Falcon Scott odbył w 1902 roku pierwszą podróż nad Antarktydą. Uwiązany do ziemi balon nazwany Eva napełniono wodorem.

**63**-letnia nauczycielka Annie Edson Taylor jako pierwsza na świecie przeżyła w 1901 roku spływ wodospadem Niagara. Dokonała tego zamknięta w drewnianej beczce.

**53** pary butów zdarła Rosie Swale-Pope podczas biegu dookoła świata. Wystartowała w swoje urodziny, gdy kończyła 57 lat, a cały bieg zajął jej 1789 dni.

**14** autobusów ustawionych obok siebie przeskoczył na motocyklu kaskader Evel Knievel. Pokaz miał miejsce w Ohio w 1975 roku.

**1342** kilometry na godzinę to maksymalna prędkość swobodnego spadania, jaką w 2012 roku osiągnął śmiałek Felix Baumgartner podczas skoku z balonu wznoszącego się 39 000 metrów nad ziemią. Felix otworzył spadochron na wysokości 2516 metrów.

**1162** wydmy pokonał Pat Farmer w wędrówce przez australijską Pustynię Simpsona. Przemaszerował w spiekocie 379 kilometrów w ciągu trzech i pół dnia.

A NIECH TO! ZAPOMNIAŁEM PIEPRZU...

**5** centymetrów grubości miała lina, po której Charles Blondin przeszedł nad Wodospadem Niagara w 1859 roku. Trzy lata później, powtarzając ten wyczyn, Blondin smażył omlet, stojąc na środku liny. Nie brakowało mu fantazji!

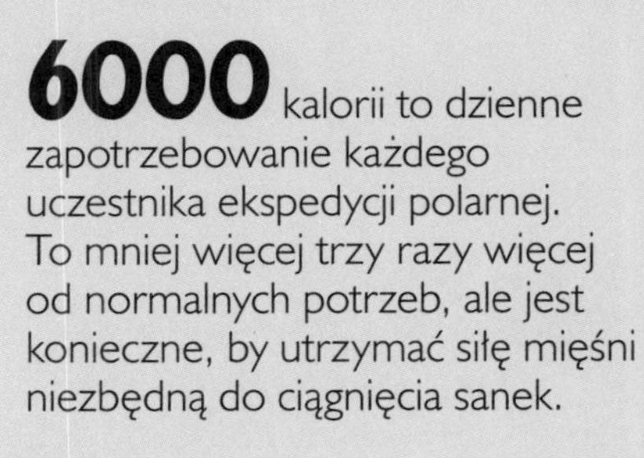

**14** szczytów na świecie ma wysokość powyżej 8000 metrów. Każdy poważny himalaista stawia sobie za cel zdobycie wszystkich „ośmiotysięczników".

**6000** kalorii to dzienne zapotrzebowanie każdego uczestnika ekspedycji polarnej. To mniej więcej trzy razy więcej od normalnych potrzeb, ale jest konieczne, by utrzymać siłę mięśni niezbędną do ciągnięcia sanek.

**76**-latek z Nepalu, Bahadur Sherchan, wszedł w maju 2008 roku na Mount Everest jako najstarszy dotąd zdobywca tego szczytu.

**21** razy zdobył szczyt Mount Everest nepalski himalaista Apa Sherpa.

**13**-latek Jordan Romero był w 2010 roku najmłodszym zdobywcą szczytu Ziemi – Mount Everestu.

**72** dni potrzebowała Nellie Bly (pseudonim używany przez Elizabeth Jane Cochran), by w 1889 roku pobić rekord podróży dookoła świata. Cochran statkami i kolejami pokonała przeszło 39 500 kilometrów. Po drodze odwiedziła we Francji Juliusza Verne'a, autora powieści „W 80 dni dookoła świata".

**272** litry rumu to zaledwie jeden z punktów długiej listy wyposażenia wyprawy w poprzek Australii, jaką podjęli badacze Burke i Wills w latach 1860–1861. Rum jednak nie był przeznaczony dla ludzi, lecz dla wielbłądów!

**1305** minut trwało pierwsze przepłynięcie wpław kanału La Manche z Anglii do Francji, którego dokonał Matthew Webb w 1875 roku.

**270** marynarzy wyruszyło w 1519 roku w podróż dookoła świata pod dowództwem Ferdynanda Magellana. Tylko 18 ukończyło wyprawę.

**3565** kilogramów kiszonej kapusty polecił kapitan Cook zabrać na pokład statku Endeavor, który miał jako pierwszy przepłynąć Ocean Spokojny.

**13 790** kilometrów przepłynęła kajakiem Freya Hoffmeister wzdłuż wybrzeży całej Australii. Największym zagrożeniem okazały się słonowodne krokodyle oraz rekiny, z których jeden wygryzł dwie dziury w kajaku.

# Wokół biegunów

**6** tygodni trwa noc polarna w osadzie Illulissat, położonej na północy Grenlandii. Słońce nie wznosi się wtedy ponad horyzont i panuje całkowita ciemność.

**–52** stopnie Celsjusza muszą pokazać termometry, by zwolnić dzieci z obowiązku chodzenia do szkoły w syberyjskim mieście Ojmiakon. Aż do 2008 roku jedyna toaleta w tej szkole była na zewnątrz budynku. Brrr!

**4 miliony** ludzi mieszkają za północnym kołem podbiegunowym.

**19** metrów dziennie to prędkość spływania lodu w grenlandzkim lodowcu Sermeq Kujalleq.

**307 700** to liczba mieszkańców rosyjskiego miasta Murmańsk, największego skupiska ludzi za kołem podbiegunowym.

**14** lat zajmuje żyjącej w Arktyce gąsienicy z gatunku Gynaephora groenlandica, zanim w końcu przepoczwarzy się w ćmę. Każdej zimy gąsienice zamarzają, by latem odtajać i ruszać na żer.

**240** dni w roku nad kanadyjskim Yellowknife jest widoczna zorza polarna.

**30** gości zaproszono na ślub badacza Borge Ouslanda i jego narzeczonej Hege, którzy w 2012 roku jako pierwsi pobrali się na Biegunie Północnym. Dzień był pogodny, choć trzymał 23-stopniowy mróz.

**20 000** do **25 000** to szacowana liczba niedźwiedzi polarnych w Arktyce. W swoim naturalnym środowisku dożywają 25 lat.

**3** metry długości może osiągać spiralnie skręcony kieł wyrastający u narwala. Ten gatunek waleni żyje w Arktyce.

**45** razy większy od Polski jest obszar Antarktydy.

**1100** osób przebywa latem w stacji McMurdo, największym ośrodku badawczym w Antarktyce. Stacja jest położona około 1350 kilometrów od Bieguna Południowego.

**26,5 miliona** kilometrów sześciennych to objętość lodu w Antarktyce.

**1** to liczba działających na Antarktydzie bankomatów. Jedyne miejsce, gdzie wypłaca się nawet do 50 tysięcy dolarów na tydzień, znajduje się w stacji badawczej McMurdo.

**70** procent wody pitnej na Ziemi uwięzione jest w lodach Antarktyki.

**37 800** turystów w 2009 roku zobaczyło Antarktykę z pokładu statku. 26 000 z nich stanęło na lodzie samego kontynentu.

**7** milimetrów długości ma największe zwierzę, które całe swoje życie spędza na Antarktydzie. To gatunek owada o nazwie Belgica antarctica.

**1267** osób w latach 1957–2009 przeżyło całą surową zimę polarną na Biegunie Południowym.

**23** lotniska lub choćby pasy startowe są na Antarktydzie. Prócz tego są jeszcze 53 lądowiska dla helikopterów.

**20 000** spadających z kosmosu meteorytów znaleziono na Antarktydzie.

**303** godziny (niecałe 13 dni) to rekordowy czas podróży w poprzek Antarktydy ustanowiony w 2010 roku. Zespół badawczy przejechał na monster truckach 1946 kilometrów.

**500 miliardów** ton lodu spłynęło na Ocean Południowy, gdy w 2002 roku ogromny szelf Larsen B oderwał się od Antarktydy.

**70 900** kilometrów to dystans, jaki co roku pokonują rybitwy popielate podczas migracji z Arktyki na Antarktydę i z powrotem.

**5 milionów** to szacowana liczba pingwinów żyjących w Antarktyce. Największy z nich, pingwin cesarski, może ważyć nawet 40 kilogramów.

Biegun Południowy

**4** gatunki pingwinów żyją i rozmnażają się w Antarktyce – pingwiny Adeli, białobrewe, cesarskie i maskowe. 0 pingwinów żyje w Arktyce.

**52** grenlandzkie psy husky ciągnęły cztery pary sań, przy pomocy których norweski odkrywca Roald Amundsen jako pierwszy stanął na Biegunie Południowym 14 grudnia 1911 roku.

**565** metrów to maksymalna głębokość, na jaką nurkuje w poszukiwaniu żeru pingwin cesarski. Powietrza wystarcza mu na przeszło 20 minut nurkowania.

# Podwodna fauna

**7,9** milimetra ma dojrzała azjatycka rybka z gatunku Paedocrypsis progenetica – sama nazwa jest od niej dłuższa.

**90** lat dożywają niektóre gatunki anemonów.

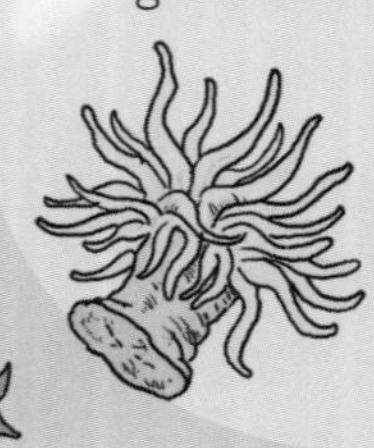

**400** metrów może przelecieć w powietrzu latająca ryba z rodziny ptaszorowatych.

**60** ludzi może zabić jad tylko jednej śmiercionośnej kostkomeduzy, zwanej też osą morską.

**250 milionów** śledzi może zbić się w olbrzymią ławicę.

**100** lat zajmuje niektórym głębinowym małżom osiągnięcie rozmiaru 8 milimetrów.

**6** milisekund zajmuje rybie żabnicowatej złapanie ofiary. Pułapkę stanowi ogromna paszcza zatrzaskująca się z prędkością błyskawicy.

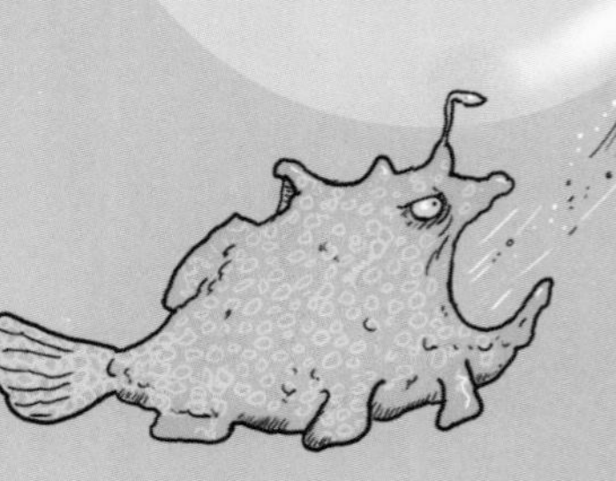

**30** centymetrów koralowych polipów zjada dziennie jedna korona cierniowa – gatunek drapieżnego szkarłupnia.

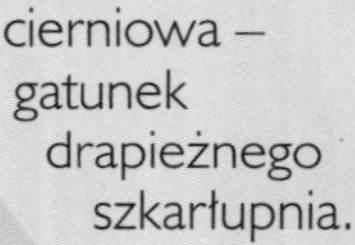

**32 000** gatunków ryb znanych jest dotychczas nauce. To sześć razy więcej od liczby gatunków ssaków.

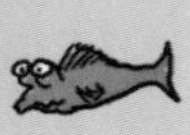

**3** metry długości ma płetwa ogonowa rekina zwanego lisem morskim. Cała ryba ma tylko dwa razy większą długość.

**70 milionów** lat liczą sobie skamieniałości ryb trzonopłetwych. Te głębinowe ryby uważano za wymarłe, dopóki w 1938 roku nie złowiono żywej przedstawicielki tego gatunku.

**12,65** metra długości miał ogromny rekin wielorybi złowiony u wybrzeży Pakistanu. Mnóstwo łodzi jest od niego krótszych.

**27** centymetrów średnicy ma gigantyczne oko kałamarnicy. Wygląda jak wielki talerz obiadowy.

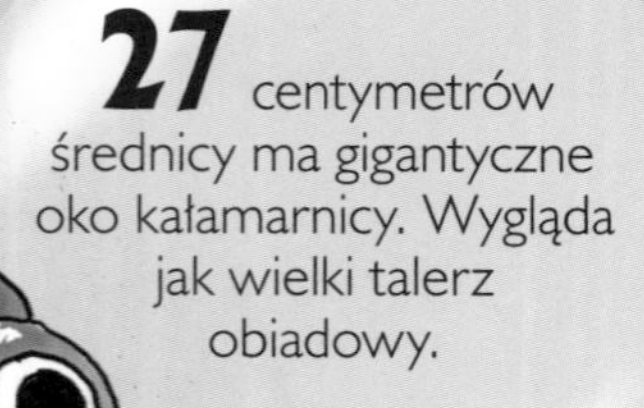

**405** lat to szacowany wiek małża z gatunku Mercenaria, którego zebrano z dna morza koło Islandii w 2007 roku.

**109** kilometrów na godzinę może płynąć ryba żaglica. To niemal prędkość samochodów na drodze ekspresowej.

**8** litrów śluzu może w ciągu paru minut wyprodukować śluzica. Drapieżnik, który ją schwyta, wkrótce ma tak śluzowane skrzela, że musi puścić ją.

**1** metr długości osiągają kły morsa.

**20 557** kilometrów przepłynął pewien żółw skórzasty w ciągu 647 dni, przynajmniej tyle pokazał przymocowany do jego skorupy nadajnik satelitarny.

**291 000** różnych rodzajów morskich zwierząt i roślin odkryto do tej pory. Badacze sądzą, że w głębinach czeka jeszcze jakieś 750 000 nieznanych.

**1** rok trwa odrastanie ramienia utraconego przez rozgwiazdę.

**43,7 miliona** krabów raz na pięć lat maszeruje po Wyspie Wielkanocnej do oceanu, by tam złożyć jaja. Wysepka ma 135 kilometrów kwadratowych, więc na ten czas zamiera tam wszelki inny ruch.

**205** lat dożywa karmazyn ostrooki.

**200 milionów** lat temu skrzypłocze wyglądały podobnie jak dziś, nie dziwne, że nazywa się je żyjącą skamieliną.

**8700** kilometrów przemierzają migrujące humbaki. Całą podróż od miejsc rozrodu do żerowisk trzeba odbyć o pustym żołądku.

**2388** metrów to odnotowany rekord głębokości, na jaką zanurkował słoń morski.

**15** miesięcy zdrowy rekin potrafi przeżyć bez jedzenia.

**200** ramion mają niektóre typy szkarłupni zwane liliowcami. Część z nich przypomina drzewa.

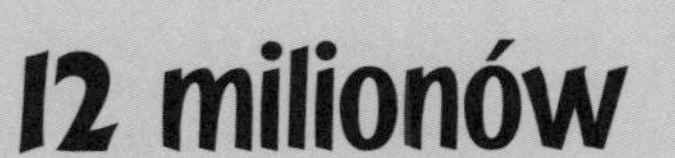

**60** gatunków langust migruje stadnie. Maszerują one po dnie morskim jedna za drugą.

**12 milionów** to szacowana populacja rodziny fok zwanej krabojadami. To najliczniejszy na świecie przedstawiciel ssaków – nie licząc człowieka.

**20** metrów szerokości ma jeziorko Devil's Hole w amerykańskim stanie Nevada. Tylko tu żyje geotermalna rybka – karpieniec diabli.

# Ludzkie ciało

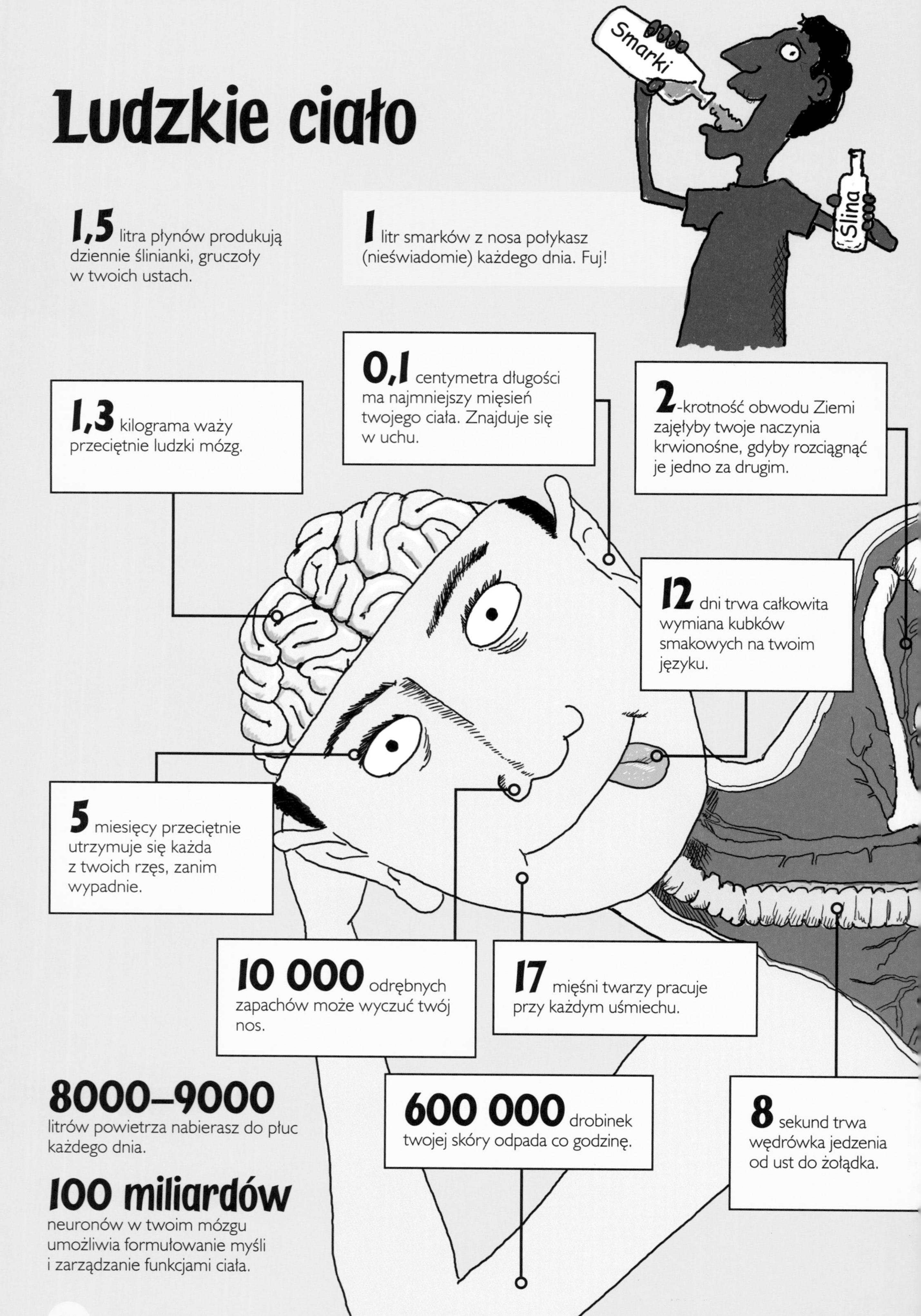


**1,5** litra płynów produkują dziennie ślinianki, gruczoły w twoich ustach.

**1** litr smarków z nosa połykasz (nieświadomie) każdego dnia. Fuj!

**0,1** centymetra długości ma najmniejszy mięsień twojego ciała. Znajduje się w uchu.

**1,3** kilograma waży przeciętnie ludzki mózg.

**2**-krotność obwodu Ziemi zajęłyby twoje naczynia krwionośne, gdyby rozciągnąć je jedno za drugim.

**12** dni trwa całkowita wymiana kubków smakowych na twoim języku.

**5** miesięcy przeciętnie utrzymuje się każda z twoich rzęs, zanim wypadnie.

**10 000** odrębnych zapachów może wyczuć twój nos.

**17** mięśni twarzy pracuje przy każdym uśmiechu.

**8000–9000** litrów powietrza nabierasz do płuc każdego dnia.

**600 000** drobinek twojej skóry odpada co godzinę.

**8** sekund trwa wędrówka jedzenia od ust do żołądka.

**100 miliardów** neuronów w twoim mózgu umożliwia formułowanie myśli i zarządzanie funkcjami ciała.

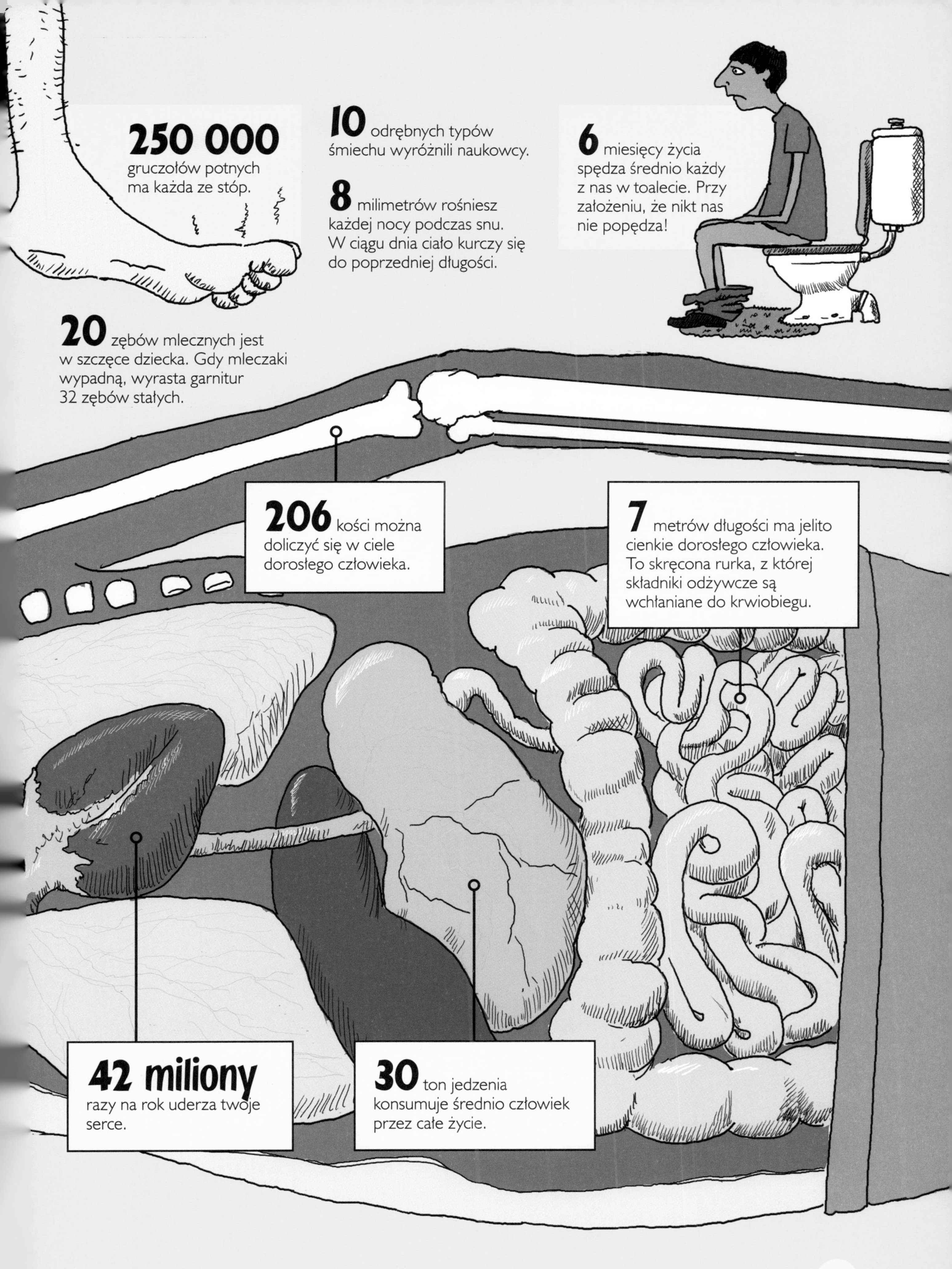
250 000 gruczołów potnych ma każda ze stóp.
10 odrębnych typów śmiechu wyróżnili naukowcy.
8 milimetrów rośniesz każdej nocy podczas snu. W ciągu dnia ciało kurczy się do poprzedniej długości.
6 miesięcy życia spędza średnio każdy z nas w toalecie. Przy założeniu, że nikt nas nie popędza!
20 zębów mlecznych jest w szczęce dziecka. Gdy mleczaki wypadną, wyrasta garnitur 32 zębów stałych.
206 kości można doliczyć się w ciele dorosłego człowieka.
7 metrów długości ma jelito cienkie dorosłego człowieka. To skręcona rurka, z której składniki odżywcze są wchłaniane do krwiobiegu.
42 miliony razy na rok uderza twoje serce.
30 ton jedzenia konsumuje średnio człowiek przez całe życie.

# Wspaniałe ptaki

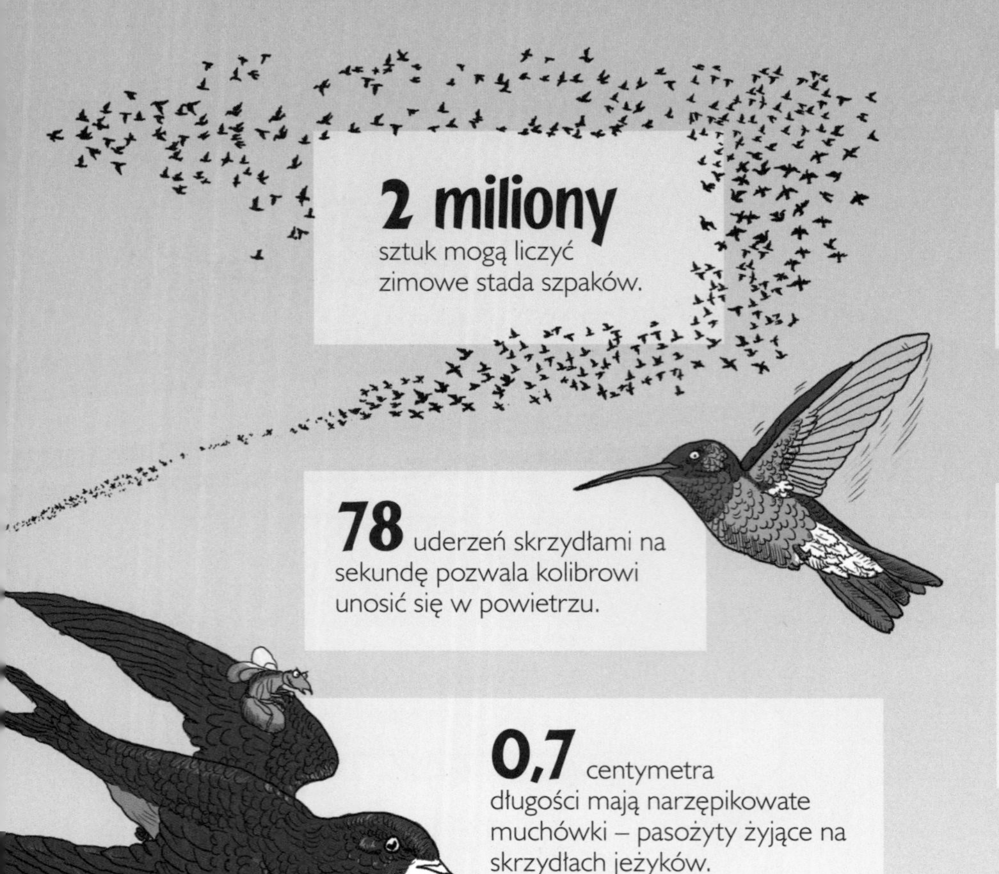

**2 miliony** sztuk mogą liczyć zimowe stada szpaków.

**3,5** metra to rekord rozpiętości skrzydeł albatrosa wędrownego – mogłoby się na nich położyć 2 średniego wzrostu ludzi.

**78** uderzeń skrzydłami na sekundę pozwala kolibrowi unosić się w powietrzu.

**389** kilometrów na godzinę osiąga w locie nurkowym sokół wędrowny, gdy spada na ofiarę. Nawet pociągi wielkich prędkości nie jeżdżą tak szybko.

**0,7** centymetra długości mają narzępikowate muchówki – pasożyty żyjące na skrzydłach jeżyków.

**15** piór na centymetr kwadratowy ma pingwin cesarski – to rekord gęstości upierzenia wśród ptaków.

**2000** piórek potrzebuje raniuszek do wyścielenia gniazda. Ptaki zbierają te piórka pojedynczo.

**6** lat spędza nad morzami młody albatros wędrowny przed powrotem na ląd.

**36** kilometrów na godzinę osiąga pingwin białobrewy – to rekord prędkości pływania wśród ptaków.

**9** dni może lecieć bez postoju szlamnik rdzawy. Te ptaki wędrowne migrują sezonowo z Nowej Zelandii do Chin.

**1** na **50 000** pingwinów ma pióra bardziej brązowo- niż czarno-białe.

**24 miliardy** kurczaków żyją obecnie na Ziemi.

**150** słów znał Alex, słynna gadająca papuga żako. Ostatnie, jakie usłyszał jej nauczyciel brzmiały: „Trzymaj się. Do jutra. Kocham cię."

**14** centymetrów długości ma dziób mieczodziobka, a reszta ciała mierzy tylko 10 centymetrów. Gdy ptak siada na gałęzi, musi unosić dziób do góry, by nie stracić równowagi i nie spaść na ziemię.

**70** kilometrów na godzinę pędzi struś, gdy mu się dokądś spieszy.

**24** godziny od wyklucia z jaja trwa nauka latania u nogala pręgoskrzydłego.

**1227** gatunków ptaków jest zagrożonych wyginięciem. Wszystkich gatunków jest około 10 000.

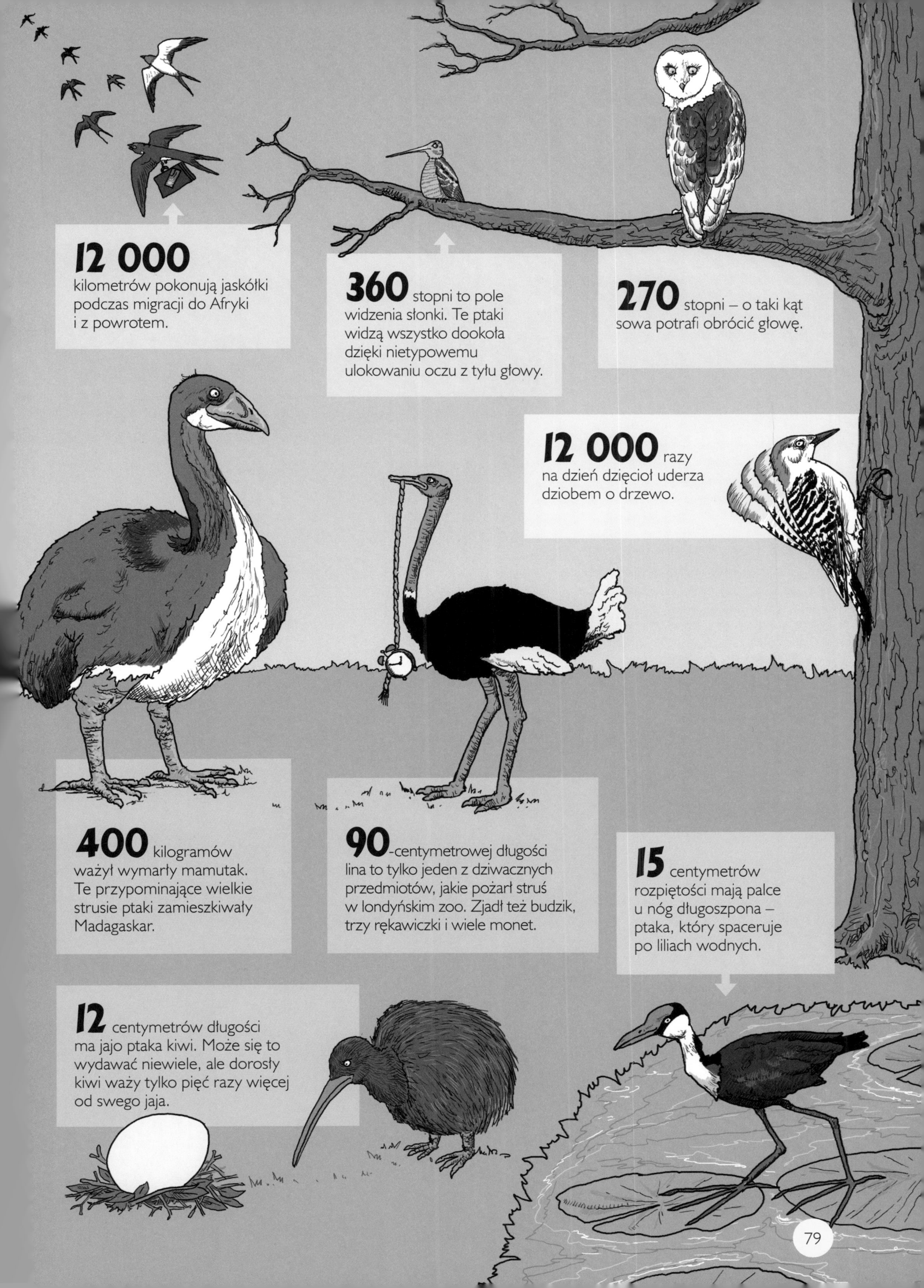

12 000
kilometrów pokonują jaskółki podczas migracji do Afryki i z powrotem.
360 stopni to pole widzenia słonki. Te ptaki widzą wszystko dookoła dzięki nietypowemu ulokowaniu oczu z tyłu głowy.
270 stopni – o taki kąt sowa potrafi obrócić głowę.
12 000 razy na dzień dzięcioł uderza dziobem o drzewo.
400 kilogramów ważył wymarły mamutak. Te przypominające wielkie strusie ptaki zamieszkiwały Madagaskar.
90-centymetrowej długości lina to tylko jeden z dziwacznych przedmiotów, jakie pożarł struś w londyńskim zoo. Zjadł też budzik, trzy rękawiczki i wiele monet.
15 centymetrów rozpiętości mają palce u nóg długoszpona – ptaka, który spaceruje po liliach wodnych.
12 centymetrów długości ma jajo ptaka kiwi. Może się to wydawać niewiele, ale dorosły kiwi waży tylko pięć razy więcej od swego jaja.

# Z duchami!

**7201** to numer posesji przy Alei Łuczników, przy której doszło do nagłego i tajemniczego zniknięcia blondwłosej autostopowiczki. To adres jednego z chicagowskich cmentarzy, a dziwaczna pasażerka znana jest jako Wskrzeszona Maria. To jedna z najbardziej znanych amerykańskich relacji o duchach.

**5** budowli jest rzekomo nawiedzanych przez ducha Anny Boleyn, drugiej żony Henryka VIII, ściętej na polecenie króla. Należą do nich: miejsce urodzenia Anny (Blickling Hall), dom dziecinny (Hever Castle), dwa adresy zamieszkania w dorosłości (pałac Hampton Court i zamek Windsor) oraz miejsce jej egzekucji (londyńska twierdza Tower).

**40 000** ludzkich szkieletów zdobi Kościół Kości w czeskiej miejscowości Sedlec. Nawet wielki żyrandol wykonany jest z kości.

**180** osób powieszono w walijskiej gospodzie The Skirrid w ciągu 900 lat jej istnienia. Do dziś można oglądać belkę, z której zwisał sznur, a goście donoszą o dusznej atmosferze, jaka tam wciąż panuje.

**3300** lat błąka się już po egipskiej pustyni duch faraona Akhenatena od czasu, gdy został przeklęty przez kapłanów.

**3** ludzi mieszkało przy latarni na wyspie Flannan u wybrzeży Szkocji. Pewnego dnia w 1900 roku okazało się, że latarnia jest pusta. Miejscowi twierdzili, że wcześniej odpłynęła z wyspy upiornie wyglądająca łódź Wikingów.

**825** kilogramów ważyła ogromna dynia, z której artysta Ray Villafane wyrzeźbił straszydło na Halloween. Powstało dzieło sztuki, z którego wnętrza próbowały wydostać się przerażające zombie.

**249** to paragraf kodeksu karnego obowiązującego na Haiti, który zabrania zamieniać żywego człowieka w zombie.

**50** lat po dacie zatonięcia 13 lutego 1748 roku widywano u brzegów Anglii statek Lady Luvibund.

**10** kobiet oskarżonych o czary spalono w zamku Lancaster w 1612 roku. Czterysta lat później czarownice podobno wciąż straszą mieszkańców leżącej w pobliżu angielskiej wioski Newchurch.

**6 milionów** osób pochowano w katakumbach Paryża – labiryncie tuneli i komnat wykutych pod miastem. W katakumbach widziano niezliczone duchy.

**26** świadków widziało w 1745 roku armię duchów maszerującą po zboczu Souter Fell w Szkocji. Od tego czasu upiorna armia nawiedzała to miejsce jeszcze kilka razy. Wojsko jest tak liczne, że przemarsz trwa około dwóch godzin.

**200** ognisk w tajemniczy sposób zapłonęło na nawiedzonej przez duchy farmie w amerykańskim stanie Illinois. Świadkowie tych wydarzeń szybko zalali ogień wodą, mimo to zabudowania spłonęły do szczętu.

**6** stopni Celsjusza to szacowany spadek temperatury, gdy obok pojawia się duch.

**50** skrzyń z ziemią z Transylwanii musiał zabrać ze sobą hrabia Dracula – tytułowy bohater powieści Brama Stokera – na podróż do Anglii.

**4** duchy nawiedzają Ebenezera Scrooge'a w słynnym opowiadaniu Karola Dickensa „Opowieść wigilijna". Najpierw odwiedza go Jakub Marley, zmarły partner w interesach, a potem kolejno Duch Dawnych Świąt Bożego Narodzenia, Duch Obecnych Świąt i Duch Świąt Przyszłych.

**10** osób załogi zniknęło bez śladu, gdy w 1872 roku znaleziono kanadyjski statek Mary Celeste unoszący się bezwładnie na falach Cieśniny Gibraltarskiej. Do dziś zagadka ich zniknięcia nie została wyjaśniona.

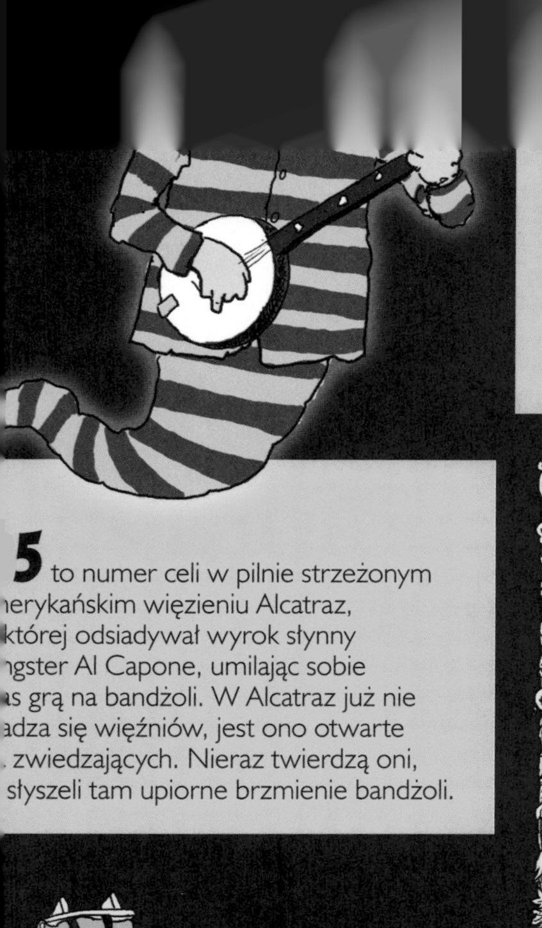

**160** kilometrów na godzinę jechał samochód, którym próbowano prześcignąć Mothmana – skrzydlatego stwora pojawiającego się rzekomo w 1966 roku w Wirginii Zachodniej.

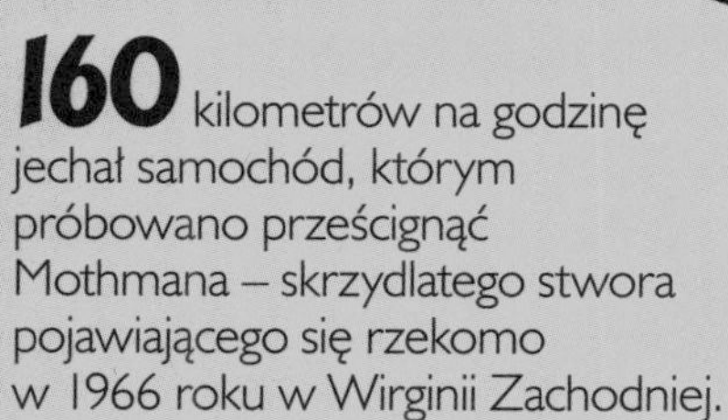

**5** to numer celi w pilnie strzeżonym ıerykańskim więzieniu Alcatraz, której odsiadywał wyrok słynny ıgster Al Capone, umilając sobie ıs grą na bandżoli. W Alcatraz już nie ıdza się więźniów, jest ono otwarte zwiedzających. Nieraz twierdzą oni, słyszeli tam upiorne brzmienie bandżoli.

**3** powtórzenia przed lustrem słów „Krwawa Mary" przy zgaszonym świetle podobno przywołują mściwego ducha ściętej królowej.

**2,4** metra wzrostu miał potwór doktora Frankensteina w słynnej powieści Mary Shelley.

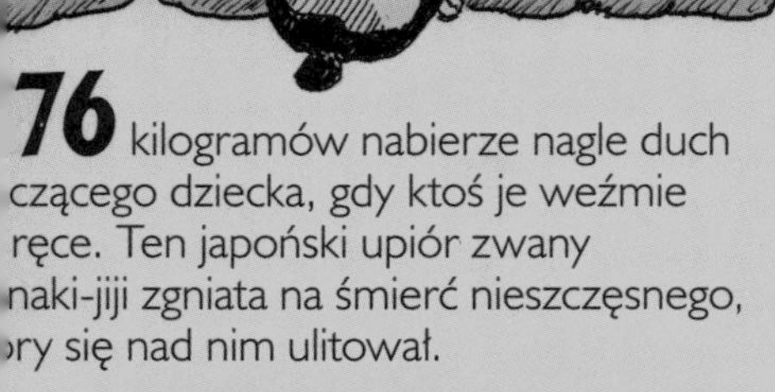

**76** kilogramów nabierze nagle duch czącego dziecka, gdy ktoś je weźmie ręce. Ten japoński upiór zwany naki-jiji zgniata na śmierć nieszczęsnego, ıry się nad nim ulitował.

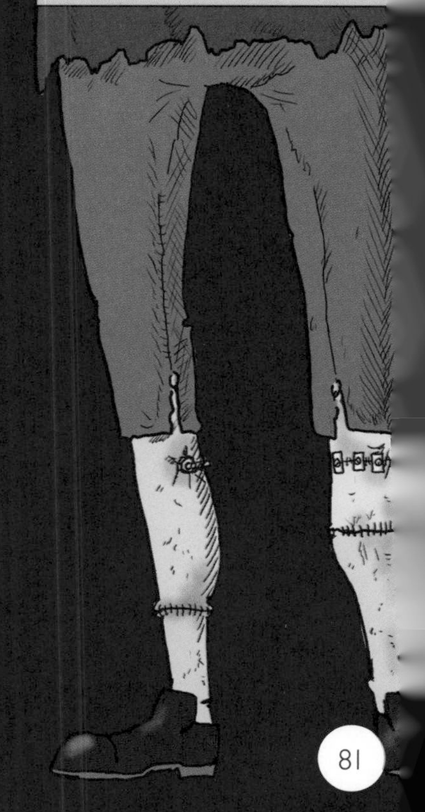

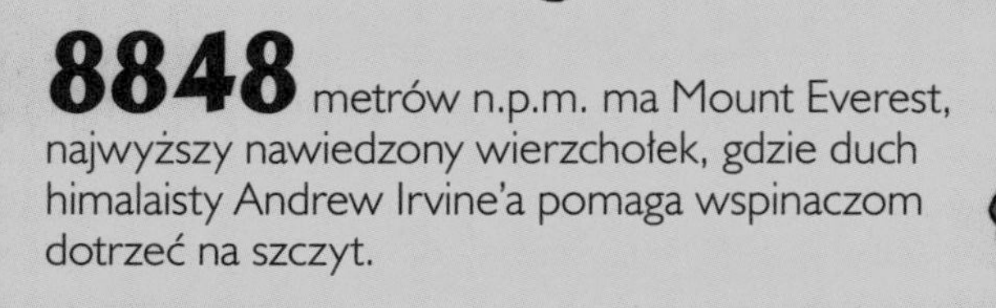

**8848** metrów n.p.m. ma Mount Everest, najwyższy nawiedzony wierzchołek, gdzie duch himalaisty Andrew Irvine'a pomaga wspinaczom dotrzeć na szczyt.

# Ameryka Południowa

**12** państw leży w Ameryce Południowej – Argentyna, Chile, Peru, Paragwaj, Brazylia, Ekwador, Urugwaj, Wenezuela, Kolumbia, Boliwia, Gujana i Surinam.

**7640** kilometrów długości ma kontynent od północnego skrawka Kolumbii po południowy czubek Chile.

**6960** metrów n.p.m. ma góra Aconcagua w Argentynie – najwyższy szczyt Ameryki Południowej. Położona jest w paśmie Andów.

**30** metrów wysokości ma posąg Jezusa na jednym ze wzgórz Rio de Janeiro. Przedstawia Chrystusa Odkupiciela i stał się jednym z najbardziej rozpoznawalnych pomników na świecie. Ramiona Jezusa rozłożone są na szerokość 28 metrów.

**1,35 miliarda** kilogramów kawy produkuje rocznie sama Brazylia.

**6436** kilometrów długości ma potężna Amazonka, najdłuższa rzeka na kontynencie.

**7240** kilometrów to długość pasma Andów.

**8,5 miliona** kilometrów kwadratowych to powierzchnia Brazylii – największego państwa na kontynencie.

**2** południowoamerykańskie państwa nie mają dostępu do morza – Boliwia i Paragwaj.

**3 miliony** lat temu Ameryka Południowa łączyła się z Północną w miejscu, gdzie obecnie leży Panama. Od tego czasu kontynenty odsunęły się od siebie, tworząc obszar Ameryki Środkowej.

**7 milionów** lam i alpak hoduje się w Ameryce Południowej.

NIE WYGLĄDA MI NA CHOMIKA...

**66** kilogramów osiąga największy gryzoń świata, południowoamerykańska kapibara. Dorośli ludzie mają nieraz mniejszą wagę.

**99** procent uprawianych na całym świecie ziemniaków pochodzi od jednego gatunku wyhodowanego przed tysiącami lat w Chile.

**90** stopni Celsjusza to temperatura wrzenia wody w stolicy Ekwadoru Quito. Położenie miasta na dużej wysokości sprawia, że woda wrze tu w temperaturze o dziesięć stopni niższej niż normalnie.

**984** metry spadku ma najwyższy na świecie wenezuelski wodospad Salto Angel.

**9** spośród **12** państw Ameryki Południowej wprowadziło hiszpański jako język oficjalny. Trzy wyjątki to Brazylia (portugalski), Surinam (holenderski) i Gujana (angielski).

**1** milimetr deszczu spada średnio rocznie na chilijskiej pustyni Atacama. Na niektórych jej obszarach nie spadła ani kropla deszczu, odkąd prowadzone są pomiary.

**91** procent powierzchni Surinamu pokrywa dżungla.

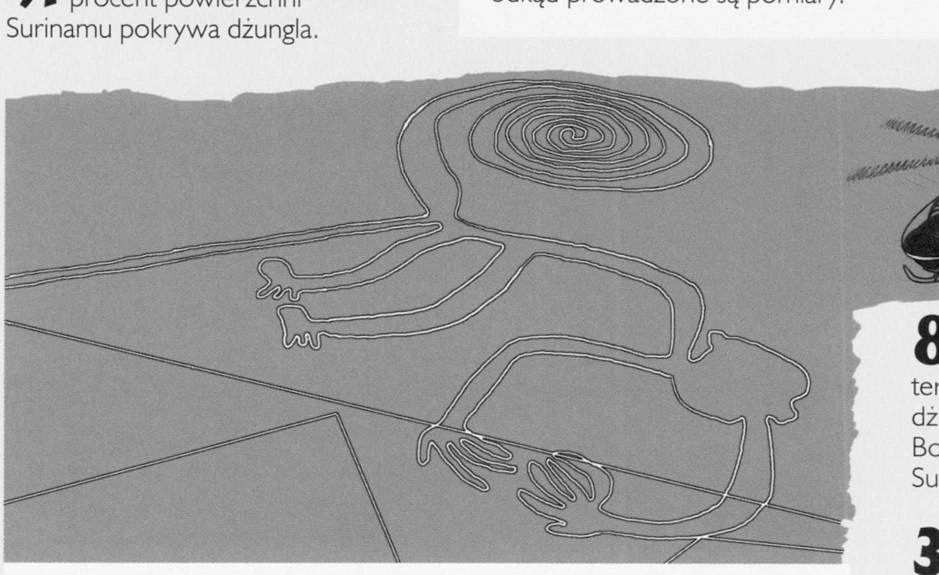

**110** metrów długości ma ogromny rysunek małpy wyrzeźbiony w peruwiańskim płaskowyżu mniej więcej 1500–2500 lat temu. Małpa i inne olbrzymie dzieła sztuki, zwane Rysunkami z Nazca, są widoczne do dzisiaj.

**8** państw ma na swoim terytorium część ogromnej dżungli amazońskiej: Brazylia, Boliwia, Peru, Kolumbia, Ekwador, Surinam, Gujana i Wenezuela.

**3** gatunki nietoperzy wampirowatych występują tylko w Ameryce Południowej (i Środkowej): wampir zwyczajny, wampir sierścionogi i wampir białoskrzydły.

**17 814 000** kilometrów kwadratowych ma cały kontynent Ameryki Południowej.

**209 000** metrów sześciennych wody co sekundę wpływa z Amazonki do Oceanu Atlantyckiego.

**47,3** procenta powierzchni Ameryki Południowej zajmuje Brazylia, która graniczy z niemal wszystkimi innymi państwami kontynentu, z wyjątkiem Ekwadoru i Chile.

# Cyrkowe sztuczki

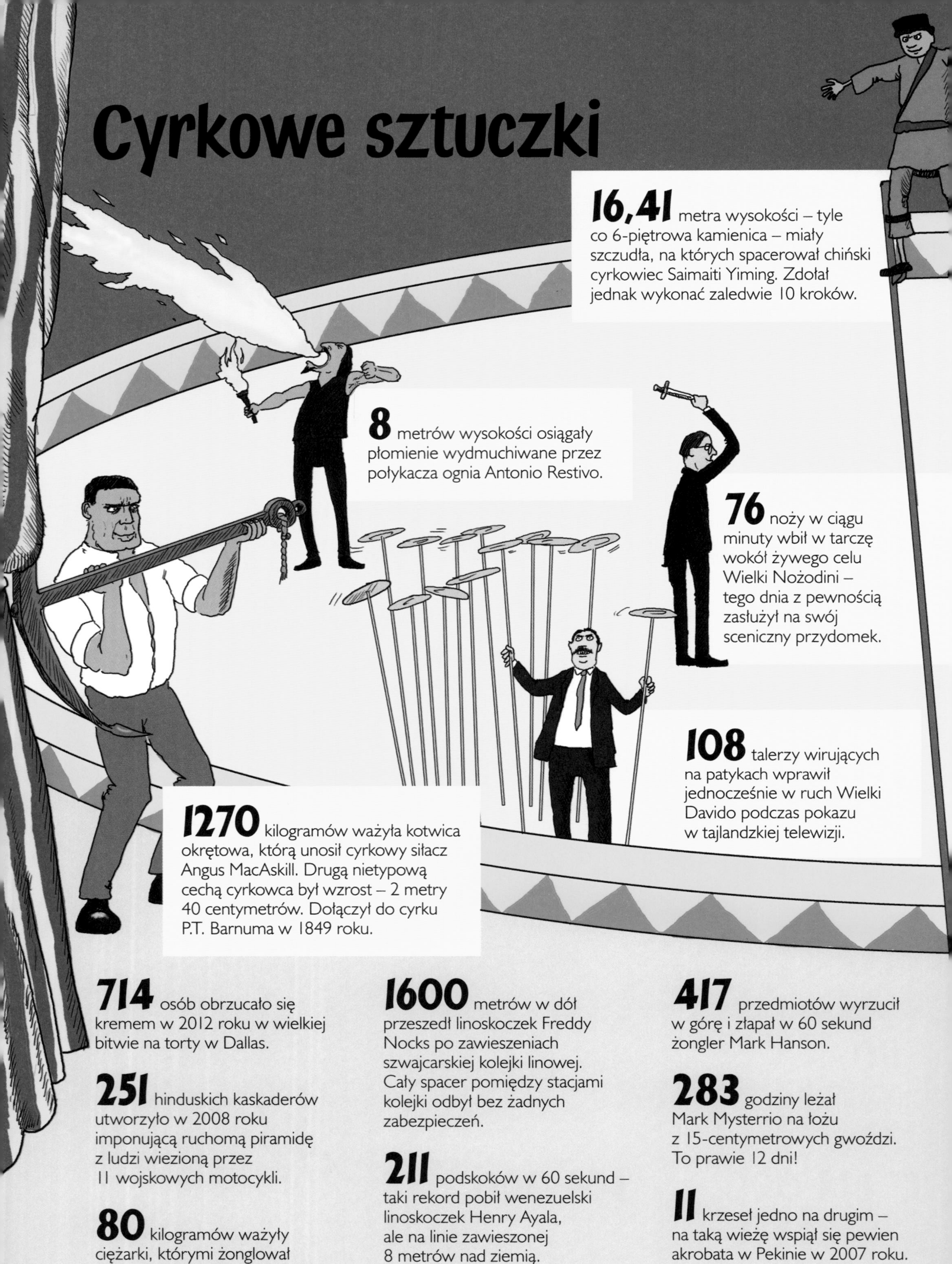

**16,41** metra wysokości – tyle co 6-piętrowa kamienica – miały szczudła, na których spacerował chiński cyrkowiec Saimaiti Yiming. Zdołał jednak wykonać zaledwie 10 kroków.

**8** metrów wysokości osiągały płomienie wydmuchiwane przez połykacza ognia Antonio Restivo.

**76** noży w ciągu minuty wbił w tarczę wokół żywego celu Wielki Nożodini – tego dnia z pewnością zasłużył na swój sceniczny przydomek.

**108** talerzy wirujących na patykach wprawił jednocześnie w ruch Wielki Davido podczas pokazu w tajlandzkiej telewizji.

**1270** kilogramów ważyła kotwica okrętowa, którą unosił cyrkowy siłacz Angus MacAskill. Drugą nietypową cechą cyrkowca był wzrost – 2 metry 40 centymetrów. Dołączył do cyrku P.T. Barnuma w 1849 roku.

**714** osób obrzucało się kremem w 2012 roku w wielkiej bitwie na torty w Dallas.

**251** hinduskich kaskaderów utworzyło w 2008 roku imponującą ruchomą piramidę z ludzi wiezioną przez 11 wojskowych motocykli.

**80** kilogramów ważyły ciężarki, którymi żonglował cyrkowy siłacz Valentin Dikul.

**1600** metrów w dół przeszedł linoskoczek Freddy Nocks po zawieszeniach szwajcarskiej kolejki linowej. Cały spacer pomiędzy stacjami kolejki odbył bez żadnych zabezpieczeń.

**211** podskoków w 60 sekund – taki rekord pobił wenezuelski linoskoczek Henry Ayala, ale na linie zawieszonej 8 metrów nad ziemią.

**417** przedmiotów wyrzucił w górę i złapał w 60 sekund żongler Mark Hanson.

**283** godziny leżał Mark Mysterrio na łożu z 15-centymetrowych gwoździ. To prawie 12 dni!

**11** krzeseł jedno na drugim – na taką wieżę wspiął się pewien akrobata w Pekinie w 2007 roku.

**2,9** metra to wysokość, na jaką mógł się odbić Dan Mahoney przy pomocy drążka do skakania pogo.
**5000** wystrzałów z armaty przeżył David Smith – najbardziej doświadczony człowiek-kula. Po wystrzale przelatywał nawet 59 metrów.
**747** zwierzątek z balonów skręcił w ciągu godziny komik John Cassidy. 12 zwierzątek powstawało w niecałą minutę!
**305** kołami hula hop kręciła równocześnie Jin Linlin.
**58** to numer gigantycznych butów, jakie nosił klaun Coco.


**7** płonącymi pochodniami żonglował Anthony Gasso w 1989 roku.

**10 000** widzów mogło zasiąść na trybunach XIX-wiecznego cyrku P.T. Barnuma, zwanego Największym Widowiskiem Świata.

**175** szwów musiała mieć założonych treserka tygrysów Mabel Stark, gdy w 1950 roku zaatakował ją jeden z pupilów.

**1300** dyplomów wydała Wyższa Szkoła Klaunów braci Ringling.

**10 000** klaunów pracuje w Meksyku.

**2194** metry to wysokość nad ziemią, na jakiej został zawieszony na linie magik Scott Hammell, związany dodatkowo w kaftanie bezpieczeństwa. Oczywiście wydostał się z opresji.

**2945** kilometrów z Paryża do Moskwy przeszedł w 1891 roku na szczudłach Sylvian Dornon.

**3** lata miał Cranston Chipperfield, gdy w 2005 roku został ringmasterem Circus Royale. Funkcję osoby odpowiedzialnej za przebieg pokazu pełniło przed nim 7 pokoleń rodziny Chipperfield.

# Pod ziemią

**240** funtów odżałował David Booth ze Szkocji na wykrywacz metali. Gdy pierwszy raz użył go w terenie, odkrył cztery złote naszyjniki sprzed ponad 2000 lat. Booth dostał za to znalezisko 462 tysiące funtów nagrody.

**2** kciuki ma każda z przednich łap kreta. Dwie pary kciuków ułatwiają przekopywanie ziemi.

**360** sztuk biżuterii i zegarków znaleziono w podziemnym schowku podczas wyburzania biurowca w nowozelandzkim mieście Christchurch.

**36 852** książki zostawiają rocznie w wagonach pasażerowie londyńskiego metra. W kolejce zostawiono również m.in. kosiarkę do trawy, ludzką czaszkę i ławkę z parku.

**1200** sklepów działa w ciągnących się 28 kilometrów arkadach w Toronto. To największe podziemne centrum handlowe na świecie.

**1,1 miliarda** pasażerów przewożą co roku pociągi londyńskiej kolejki podziemnej.

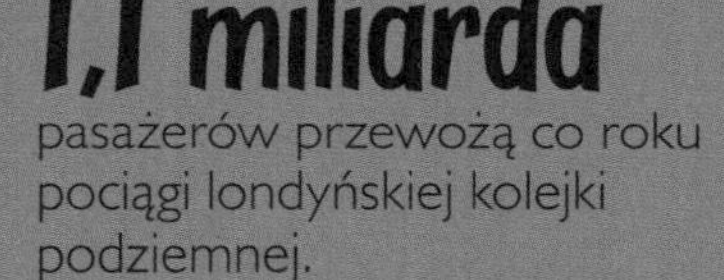

**9550** lat mają korzenie pewnego szwedzkiego świerku, które wciąż rosną pod ziemią.

**800** metrów pod alpejską przełęczą Świętego Gotarda biegnie tunel kolejowy o długości 57 kilometrów.

**3,9** kilometra pod ziemią ciągną się chodniki najgłębszej kopalni – południowoafrykańskiej kopalni złota TauTona.

**2,5** raza większe od boiska piłkarskiego jest podziemne jezioro w Namibii. Zbiornik zwany Tchnieniem Smoka leży 60 metrów pod ziemią.

**1695** mieszkańców liczą podziemne groty górniczego miasteczka Coober Pedy w Australii. Mieszkanie pod ziemią pozwala uciec przed panującym na zewnątrz upałem.

**90** różnych wejść może mieć podziemna kolonia surykatek.

**4000** osób, oprócz członków brytyjskiego rządu, mogło zamieszkać w podziemnym miasteczku Burlington w razie ataku nuklearnego. W ściśle tajnych pomieszczeniach było miejsce na biura, studio radiowe, pralnie oraz dwie duże kuchnie.

**40** procent wydobytego dotąd złota pochodzi z kopalni w południowoafrykańskim regionie Witwatersrand.

**120** litrów ziarna i nasion potrafi zgromadzić w podziemnej norze jeden szczuroskoczek.

**8,5** centymetra długości i 35 gramów ma karaczan z gatunku Macropanesthia rhinoceros, najcięższy karaluch świata. Potrafi on wykopać w ziemi norkę głębokości nawet 1 metra.

**21** starorzymskich monet odkrył na pewnym angielskim polu poszukiwacz-amator Dave Crisp w 2010 roku. Na tym samym obszarze znaleziono jeszcze oszałamiającą liczbę 52 503 monet.

**20 000** odrębnych gatunków bakterii można doszukać się w 1 gramie ziemi.

**1,8** kilometra długości i tylko 6 stacji ma najkrótsze metro świata w izraelskiej Hajfie.

**14** stanów USA obejmowała sieć tras przerzucania do Kanady zbiegłych niewolników. Nosiła kryptonim Podziemna Kolej, choć nie kryła się pod ziemią ani nie korzystała z pociągów. Abolicjoniści pomagający niewolnikom używali tej nazwy jako hasła, które utrudniało wykrycie zakazanej działalności.

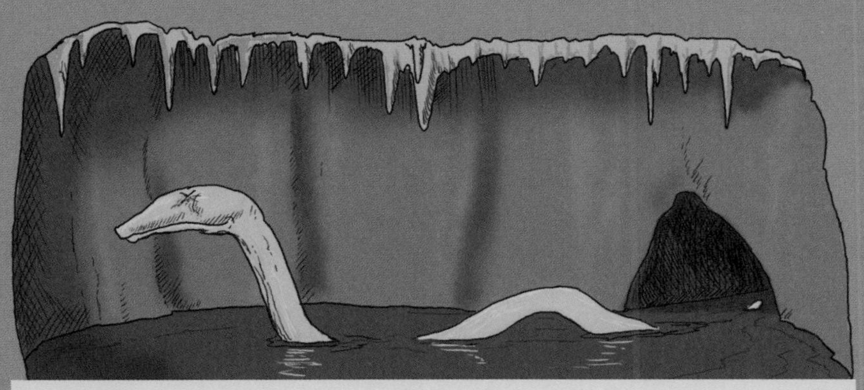

**40** centymetrów długości ma żyjący w Australii węgorz jaskiniowy. Nie ma on oczu, gdyż żyje tylko w zbiornikach podziemnych.

# Zamki i rycerze

**300** zamków stoi do dziś w Anglii.

**14** lat trwało szkolenie średniowiecznego rycerza – 7 lat w służbie jako paź, a następnie 7 lat jako szykowany na rycerza giermek.

**7** bram trzeba przejść w drodze do wnętrza indyjskiego Fortu Mehrangarh.

**50** kilogramów mogła ważyć zbroja średniowiecznego rycerza. To jakby dźwigać małego hipopotama.

**6000** osób zwiedza dziennie niemiecki zamek w Neuschwanstein. Uroczy zamek jak z baśni stał się inspiracją dla Walta Disneya.

**950** lat angielska rodzina królewska mieszka już w zamku Windsor. To najstarsza nieprzerwanie zamieszkana siedziba rodu panującego.

**1** zamek jest własnością korony angielskiej – Balmoral Castle. Choć przez większość czasu królowa mieszka w zamku Windsor, to ani on, ani Pałac Buckingham nie należy do niej.

**1051** metrów ma najdłuższy zamek na świecie – niemiecki Burghausen.

**83** budowle obejmuje drewniany zamek Himeji w Japonii.

**1481** stopni trzeba pokonać, by wejść do rumuńskiego zamku Poenari.

**95** kilometrów na godzinę to prędkość, z jaką uderzały kopie rycerzy w szrankach.

**4** metry długości miała typowa kopia, którą rycerze potykali się na turniejach.

**3700** metrów n.p.m. wysoko w Himalajach leży tybetański Pałac Potala. Zamek ten ma ponad tysiąc pomieszczeń.

**7** cnotami należało się cechować zgodnie z kodeksem rycerskim. Były to: odwaga, umiłowanie sprawiedliwości, miłosierdzie, szczodrość, wiara, szlachetność i nadzieja.

**122** metry głębokości miała studnia zaopatrująca w wodę angielski zamek Beeston.

**9** metrów głębokości mogły osiągać obronne fosy wypełnione wodą, wykopane wokół zamków.

**400** kamieniarzy zatrudniono do budowy jednego z zamków króla Anglii Edwarda I.

**40** dni wojskowej służby w roku musiał obiecać swemu suwerenowi średniowieczny rycerz.

**14 248** funtów kosztowała budowa potężnego zamku Conwy w Walii, który wpisano na Listę Światowego Dziedzictwa.

**6** metrów grubości mają najpotężniejsze mury zamkowe.

**228** metrów to dystans, z jakiego można było przebić rycerską zbroję dobrze wycelowaną strzałą z łuku angielskiego.

**84** klatki schodowe znajdują się we wspaniałym zamku Château de Chambord we Francji.

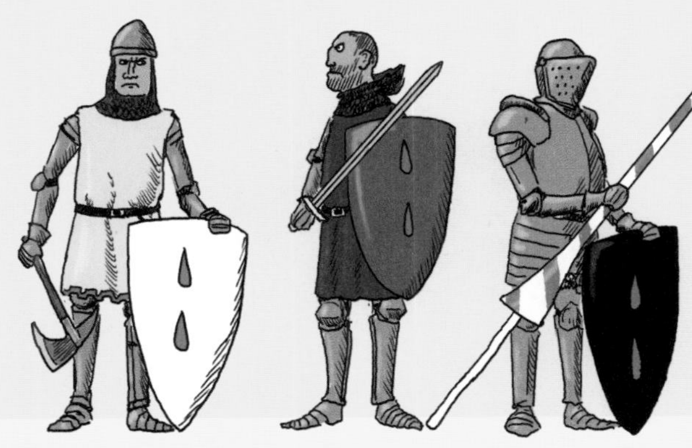

**3** różnobarwne tarcze z wizerunkiem łez wieszano podczas słynnego turnieju zwanego Fontanną Łez, który rozgrywano w średniowiecznej Francji. Ten, kto wybrał tarczę białą, walczył na topory, wybór fioletowej tarczy oznaczał walkę na miecze, posiadacz zaś czarnej tarczy stawał do walki na kopie.

**300** kopii musiano skruszyć w szrankach, by sławny rycerz Suero de Quiñones zakończył turniej. Turnieje rycerskie w średniowieczu potrafiły ciągnąć się wiele tygodni.

**5000** ludzi mogło bronić ogromnego zamku krzyżowców Krak des Chevaliers. Jego spichlerze mogły pomieścić zapasy na 5 lat oblężenia.

**52** wieże, 3 kilometry murów i potężny zamek to fortyfikacje francuskiego miasta Carcassonne.

**6** ton waży Mons Meg – XV-wieczne działo służące niegdyś do obrony zamku w Edynburgu.

**10**-kilometrowy labirynt rozciąga się pod węgierskim zamkiem w Budzie. W tym dawnym więzieniu trzymano między innymi okrutnego hospodara Włada Palownika.

# Małpy małe i duże

**96** procent genomu szympansa jest identyczne z ludzkim.

**1000** „słów" obejmował zakres wyrażeń Koko – gorylicy, którą nauczono porozumiewać się językiem migowym.

**73** lata to przybliżony wiek szympansicy zwanej Małą Mamą, żyjącej w zoo na Florydzie.

**56** lat mogła mieć ciężarna szympansica z zoo w Kansas. Szympansy rzadko dożywają 50 lat, nie mówiąc już o rodzeniu w tym wieku dzieci.

**219** kilogramów to rekord wagi goryla na wolności. Zdarzały się cięższe goryle w ogrodach zoologicznych, ale przyczyną nadwagi był brak ruchu.

**131** gatunków małp właściwych oraz 21 gatunków małp człekokształtnych (wraz z człowiekiem) wyróżniają naukowcy.

**250** sztuk może liczyć duże stado pawianów. Są jednak też niewielkie stada złożone z zaledwie 5 członków.

**4,6** metra to odległość, jaką gerezy przeskakują między gałęziami drzew.

**32** kilometry to odległość, z jakiej usłyszysz wyjca.

**10** centymetrów długości ma nos nosacza sundajskiego.

**230** magotów gibraltarskich zamieszkuje Gibraltar, jedyne miejsce w Europie, gdzie żyją dzikie małpy.

**4300** lat temu szympansy już potrafiły rozbijać orzechy kamieniami. Tej umiejętności nie zatraciły do dzisiaj.

**–15** stopni Celsjusza to temperatura powietrza, jaką z łatwością znoszą makaki japońskie. Spędzają one zimę w gorących źródłach.

**3** odmienne sygnały wydaje koczkodan zwany werwetą. Jeden ostrzega przed wężem, drugi przed jastrzębiem, a trzeci przed lampartem.

**22** sztuki gibonów z Hainan żyją na wolności – to jeden z gatunków zagrożonych wyginięciem.

**500** funtów to suma pieniędzy zwana dawniej małpą angielską. Określenie przywędrowało z Indii, gdzie na banknocie 500 rupii wydrukowano małpę.

**116** dni potrafi przeżyć bez wody stado pawianów pustynnych, gdy spóźnia się pora deszczowa.

**600** miligramów witaminy C powinna mieć w dziennej diecie ważąca 7 kilogramów małpa. To 10 razy więcej, niż potrzebuje ważący 70 kilogramów człowiek.

**2,74** metra wzrostu (połowa wysokości żyrafy) miała największa kiedykolwiek żyjąca małpa – wymarłe już człekokształtne stworzenie zwane Gigantopithecus.

**15** godzin snu dziennie pozwala gorylowi żwawo szukać pożywienia przez resztę doby.

**1,5** metra to rozpiętość ramion siamanga. Ten rodzaj gibona osiąga zaledwie metr wzrostu.

**16** minut trwał lot kosmiczny 2 małpiatek w 1959 roku. Rezus nazwany Miss Able oraz sajmiri wiewiórcza o imieniu Miss Baker to pierwsze zwierzęta, które przeżyły podróż w kosmosie.

**5** centymetrów długości mają kły dorosłych samców pawiana.

**10** różnych barw ma umaszczenie mandryla.

**54** kilogramy to waga, jaką osiąga samiec mandryla. Samice są najczęściej o połowę lżejsze.

# Przeżyć mimo wszystko

**9** kul wystrzelił celnie pluton egzekucyjny z czasu rewolucji meksykańskiej w stronę Wenceslao Moguela, a on przeżył.

**7** dni bez wody z łatwością wytrzymuje wielbłąd.

OSTATNI RAZ MÓWIĘ - NIE ZMIEŚCI SIĘ!

**9,6** kilometra przez rojące się od rekinów morze musiała przepłynąć do australijskiej wysepki suka, która wypadła z jachtu rodziny Sophie Tucker. Po 4 miesiącach poszukiwań pupilkę odnaleziono na bezludnej wyspie.

**52** miesiące spędził na bezludnej wyspie niejaki Alexander Selkirk. Historia jego uratowania stała się inspiracją dla powieści „Robinson Crusoe".

**10** miesięcy tkwił, uwięziony w lodach, statek Endurance pod dowództwem Ernesta Shackletona. Gdy puściły lody, kapitan wraz z załogą wyruszyli szalupą w niebezpieczną podróż do stacji wielorybniczej na wyspie Georgia Południowa.

**2** lata trwało uczenie pewnej papugi żako jej imienia i adresu. Gdy kiedyś ptak odleciał za daleko został schwytany i zawieziony do weterynarza. Papuga przedstawiła się i została oddana właścicielom pod wskazany adres.

**6** przerażających dni spędziła uwięziona w windzie 76-letnia Cypryjka. Jej jedynym pożywieniem było kilka pomidorów.

**33** górników utknęło na 69 dni pod ziemią w chilijskiej kopalni San José w 2010 roku. Wszyscy przeżyli.

**7** tygodni przeżyło dwóch Francuzów zagubionych w dżungli w Gujanie. Ich pożywieniem były pająki, żaby, stonogi i żółwie.

**9** dni pod gruzami japońskiego miasta zniszczonego przez trzęsienie ziemi, przeżyła 16-latka Jin Abe oraz jej 80-letnia babcia.

HURA! DOTARŁY SZCZEPIONKI.

**1085** kilometrów przedzierał się przez śniegi Alaski psi zaprzęg wiozący szczepionki do miasta Nome, gdzie w 1925 roku wybuchła epidemia dyfterytu.

**8** bezdomnych kotów otulało i ogrzewało rocznego chłopca porzuconego w zimie na ulicy pewnego argentyńskiego miasta.

**15**-metrowej wysokości fale podczas gwałtownego huraganu kilkakrotnie wywróciły jacht, którym płynęła Tami Oldham Ashcraft. Kobieta odzyskała przytomność następnego dnia i okazało się, że z jachtu zmyło jej towarzysza podróży, a silnik i większość sprzętu są uszkodzone. Po 42 dniach bezwładnego dryfu trafiła w końcu na ląd.

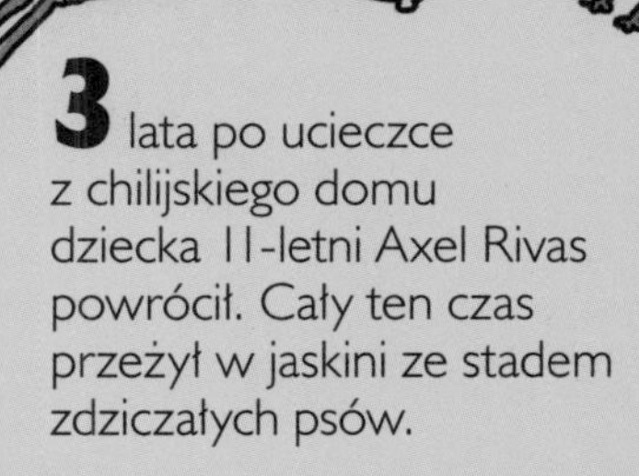

**3** lata po ucieczce z chilijskiego domu dziecka 11-letni Axel Rivas powrócił. Cały ten czas przeżył w jaskini ze stadem zdziczałych psów.

**194** żołnierzy uratował gołąb pocztowy zwany Cher Ami. Postrzelony w nogę i pierś ptak zdołał dostarczyć meldunek o batalionie otoczonym podczas jednej z bitew I wojny światowej. Został odznaczony medalem za męstwo.

**11** dni spędziła 62-letnia Teresa Bordais na dnie przepaści w Hiszpanii. Do czasu przybycia ratowników żywiła się liśćmi, które popijała deszczówką.

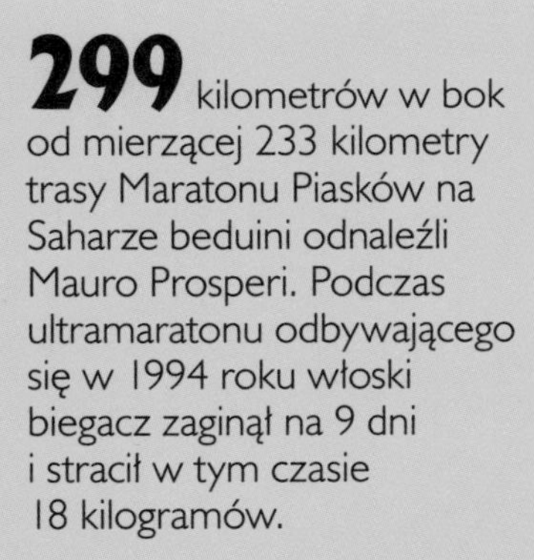


**4** miesiące przeżyła bez serca 14-letnia D'zhanna Simmons z USA. Aparatura zwana sztucznym sercem pompowała krew do czasu transplantacji.

**299** kilometrów w bok od mierzącej 233 kilometry trasy Maratonu Piasków na Saharze beduini odnaleźli Mauro Prosperi. Podczas ultramaratonu odbywającego się w 1994 roku włoski biegacz zaginął na 9 dni i stracił w tym czasie 18 kilogramów.

**124** kilometry od domu zaginęła suczka o imieniu Moon. Po ośmiu dniach dotarła do mieszkających w stanie Nevada właścicieli, choć po drodze musiała pokonać pustynię i dwa łańcuchy górskie.

**155** pasażerów uratował kapitan Sullenberger, podejmując błyskawiczną decyzję o awaryjnym lądowaniu na rzece Hudson w Nowym Jorku, gdy w samolocie zawiodły silniki.

**2** miesiące w samochodzie zasypanym przez śnieg przeżył, na dalekiej północy Szwecji, niejaki Peter Skyllberg.

**470** metrów p.p.m. osiadła uszkodzona miniłódź podwodna Pisces III. W trakcie najgłębszej w historii akcji ratunkowej 2 członków załogi wydostano w chwili, gdy kończyły się zapasy tlenu.

# Dżungla

**5,4 miliona** kilometrów kwadratowych powierzchni ma dżungla amazońska.

**6** procent powierzchni Ziemi pokrywają obecnie dżungle. Jeszcze w latach 50. XX wieku było to 14 procent.

**200 000** rodowitych Indian żyje w dżungli amazońskiej.

**137** gatunków roślin i zwierząt charakterystycznych dla dżungli ginie średnio dziennie – tak szacują naukowcy.

**3700** kilometrów kwadratowych ma australijski rezerwat lasów deszczowych Gondwana – największy na świecie obszar dżungli poza tropikami.

**4** odrębne „piętra" wyróżnia się w dżungli – piętro runa leśnego, piętro średnie (lian i konarów), piętro koron drzew oraz piętro pojedynczych drzew wystających ponad korony.

**52 000** kilometrów kwadratowych dżungli amazońskiej znika co roku.

**1500** odrębnych gatunków roślin rośnie średnio na każdym hektarze dżungli.

**43** odrębne gatunki mrówek żyją obok siebie w dżungli peruwiańskiej.

**5** gatunków małp człekokształtnych żyje obecnie na świecie. Przedstawicieli każdego z nich można spotkać w dżungli.

**78** zębów można doliczyć się w szczęce żyjącego w Amazonii kajmana okularowego.

**130 milionów** lat mają najstarsze fragmenty dżungli na Borneo.

**80** metrów osiągają najwyższe drzewa rosnące w dżungli.

**200 milionów** krów hoduje się w Brazylii, przeważnie na ranczach powstałych z karczowania dżungli.

**1** procent gatunków roślin charakterystycznych dla dżungli przebadali jak dotąd naukowcy.

**254** centymetry opadów deszczu na rok to średnia dla obszarów pokrytych dżunglą.

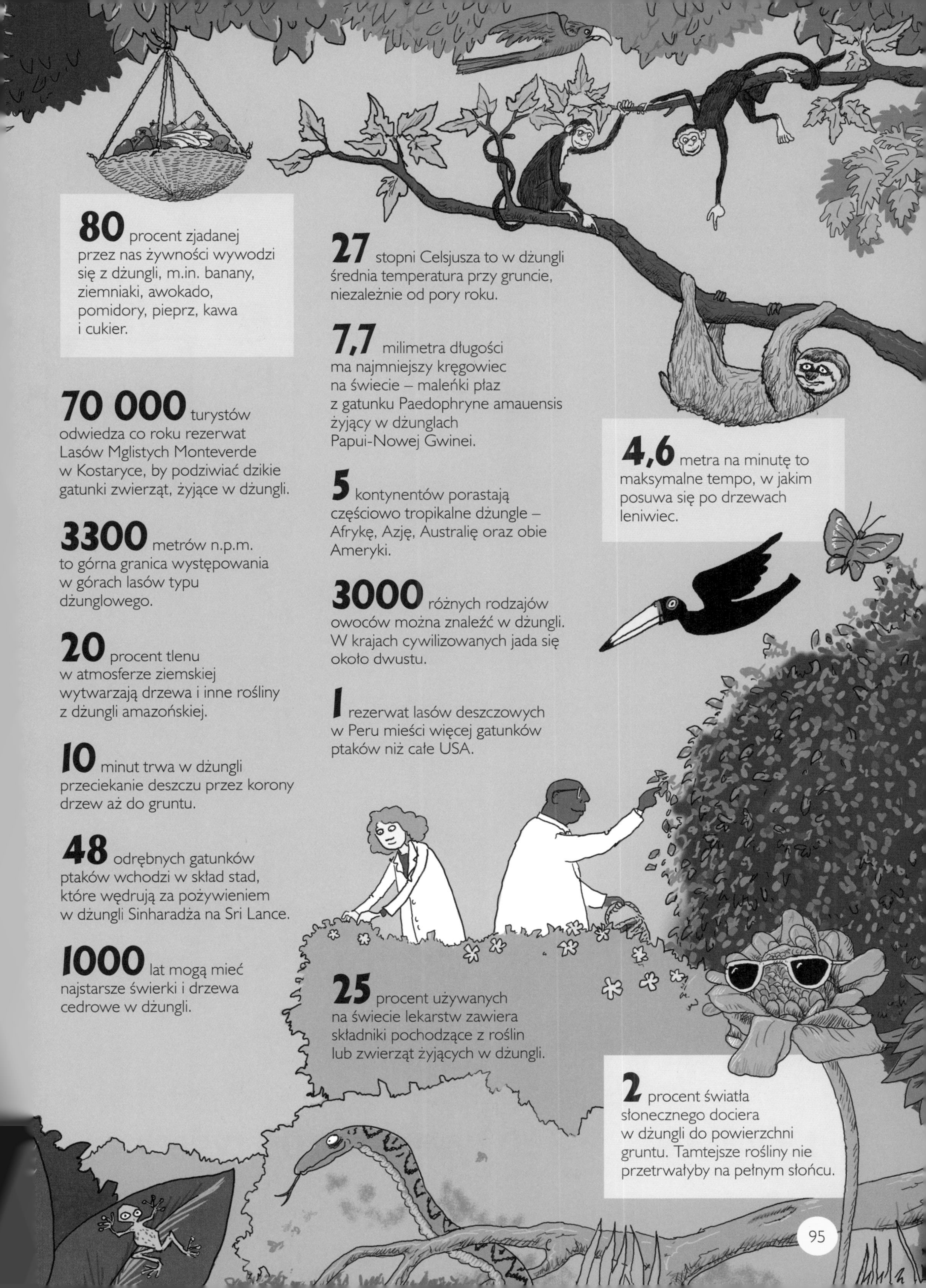

**80** procent zjadanej przez nas żywności wywodzi się z dżungli, m.in. banany, ziemniaki, awokado, pomidory, pieprz, kawa i cukier.

**70 000** turystów odwiedza co roku rezerwat Lasów Mglistych Monteverde w Kostaryce, by podziwiać dzikie gatunki zwierząt, żyjące w dżungli.

**3300** metrów n.p.m. to górna granica występowania w górach lasów typu dżunglowego.

**20** procent tlenu w atmosferze ziemskiej wytwarzają drzewa i inne rośliny z dżungli amazońskiej.

**10** minut trwa w dżungli przeciekanie deszczu przez korony drzew aż do gruntu.

**48** odrębnych gatunków ptaków wchodzi w skład stad, które wędrują za pożywieniem w dżungli Sinharadża na Sri Lance.

**1000** lat mogą mieć najstarsze świerki i drzewa cedrowe w dżungli.

**27** stopni Celsjusza to w dżungli średnia temperatura przy gruncie, niezależnie od pory roku.

**7,7** milimetra długości ma najmniejszy kręgowiec na świecie – maleńki płaz z gatunku Paedophryne amauensis żyjący w dżunglach Papui-Nowej Gwinei.

**5** kontynentów porastają częściowo tropikalne dżungle – Afrykę, Azję, Australię oraz obie Ameryki.

**3000** różnych rodzajów owoców można znaleźć w dżungli. W krajach cywilizowanych jada się około dwustu.

**1** rezerwat lasów deszczowych w Peru mieści więcej gatunków ptaków niż całe USA.

**25** procent używanych na świecie lekarstw zawiera składniki pochodzące z roślin lub zwierząt żyjących w dżungli.

**4,6** metra na minutę to maksymalne tempo, w jakim posuwa się po drzewach leniwiec.

**2** procent światła słonecznego dociera w dżungli do powierzchni gruntu. Tamtejsze rośliny nie przetrwałyby na pełnym słońcu.

# Afryka

**54** państw można się doliczyć na kontynencie afrykańskim, od Tunezji na północy po Republikę Afryki Południowej.

**5895** metrów n.p.m. wznosi się położona w Tanzanii góra Kilimandżaro – najwyższy szczyt Afryki.

**7** ton osiągają słonie afrykańskie – najcięższe zwierzęta lądowe świata.

**4** morza oblewają Afrykę – Śródziemne na północy, Ocean Atlantycki na zachodzie, Ocean Indyjski na wschodzie oraz Morze Czerwone na północno-wschodnim odcinku.

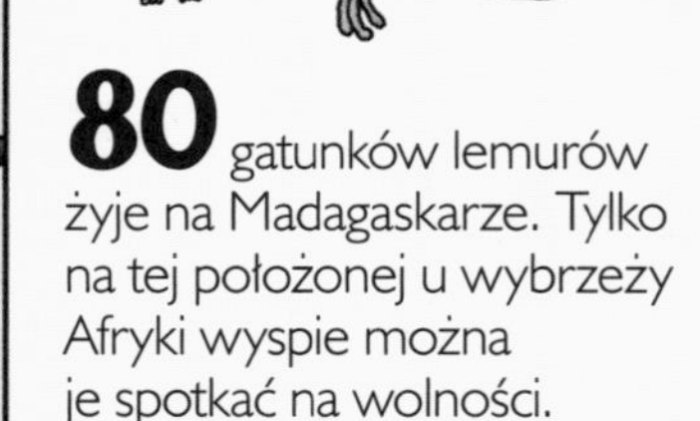

**80** gatunków lemurów żyje na Madagaskarze. Tylko na tej położonej u wybrzeży Afryki wyspie można je spotkać na wolności.

**4500** skalnych malowideł odkryto w Tsodilo w Botswanie. Ten fragment Kalahari otrzymał przydomek Pustynnego Luwru, na podobieństwo słynnego muzeum w Paryżu.

**6650** kilometrów długości ma Nil – najdłuższa rzeka na świecie.

**6** państw afrykańskich leży na równiku – Gabon, Kongo, Demokratyczna Republika Konga, Uganda, Kenia i Somalia.

**11** wieków działa już nieprzerwanie najstarszy uniwersytet na świecie – w marokańskim Fezie.

**1,3 miliona** antylop gnu, **300 tysięcy** gazel i **200 tysięcy** zebr żyje na wschodnioafrykańskiej równinie Serengeti.

**8** procent wszystkich statków oceanicznych świata przepływa przez 163-kilometrowy Kanał Sueski, łączący Morze Śródziemne z Morzem Czerwonym. Dzięki temu kanałowi podróż z zachodu na wschód jest krótsza o tysiące kilometrów.

**100** metrów długości i **40** metrów szerokości ma Wielki Meczet w Denne w Mali – największa budowla z cegły suszonej na słońcu.

**9,1 miliona** kilometrów kwadratowych ma największa pustynia świata – Sahara.

**1000–2000** to szacowana liczba języków używanych w Afryce. Trudno o dokładność, gdyż języki nie posiadają często formy pisanej, a część ma niewielu użytkowników.

**1 milion** flamingów zlatuje się co roku na okres lęgowy nad Jezioro Natron w Tanzanii.

**15 milionów** mieszkańców Afryki sprzedano jako niewolników do Ameryki między XV a XIX wiekiem.

**230** metrów głębokości osiąga rzeka Kongo. Jej wody przykryłyby ustawione na sobie Statuę Wolności i Big Bena.

**223** piramidy zbudowano ponad 2000 lat temu w Sudanie. Tak więc piramidy powstawały nie tylko w Egipcie.

**660** kilometrów długości ma Jezioro Tanganika.

**48** procent światowego wydobycia diamentów pochodzi z Afryki.

**1** z oryginalnych **7** cudów starożytnego świata stoi do dzisiaj – to Wielka Piramida w egipskiej Gizie.

**305** metrów wysokości osiągają najbardziej spektakularne wydmy na Pustyni Namib.

**10** procent gatunków ptaków, ryb i roślin świata można spotkać w Afryce Południowej.

**500 milionów** litrów wody na minutę spada z Wodospadów Wiktorii na rzece Zambezi. Można by nią napełnić 200 tysięcy basenów pływackich.

# Słońce

**149,6 miliona** kilometrów muszą przebyć światło i ciepło słoneczne w drodze do Ziemi.

**1,4 miliona** kilometrów średnicy ma Słońce.

**99,8** procent masy całego Układu Słonecznego stanowi nasza gwiazda.

Merkury Wenus Ziemia Mars

**15** minut to rekomendowany dzienny czas ekspozycji twojej twarzy, szyi i ramion na światło słoneczne, aby wytworzyć niezbędną dla zdrowia porcję witaminy D.

**98** procent szkodliwych promieni słonecznych blokuje nałożony na skórę krem oznaczony filtrem SPF 50.

**5 miliardów** lat będzie jeszcze świeciło Słońce. Potem zmieni się w czerwonego olbrzyma – umierającą gwiazdę.

**28** razy silniejsza od ziemskiej jest grawitacja na powierzchni Słońca.

**4,5 miliona** ton materii co sekundę wydmuchuje wiatr słoneczny w przestrzeń kosmiczną.

**4,6 miliarda** lat to najbardziej prawdopodobny wiek naszej gwiazdy.

**8** planet krąży wokół Słońca. Obecnie nie wlicza się do nich Plutona, który został zdegradowany do miana planety karłowatej.

**8,19** minuty to czas, w jakim światło ze Słońca dociera do Ziemi.

**5,9 miliarda** kilometrów to odległość od Słońca do Plutona. Oddziaływanie grawitacyjne naszej gwiazdy jest tak silne, że utrzymuje tę „karłowatą" planetę nawet na tak odległej orbicie.

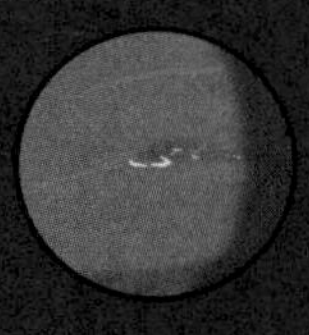


**400 000** razy mocniejsze jest bezpośrednie światło słoneczne od światła odbitego od Księżyca.

**71** procent materii słonecznej stanowi wodór.

**400** kilometrów na sekundę to prędkość naładowanych cząstek wyrzucanych ze Słońca. Noszą one nazwę wiatru słonecznego.

**80 000** kilometrów średnicy osiągają największe plamy słoneczne. Są to ciemniejsze fragmenty tarczy słonecznej, o dużo niższej temperaturze.

**1,3 miliona** kul o objętości Ziemi zmieściłoby się w Słońcu.

**15,5 miliona** stopni Celsjusza to temperatura jądra słonecznego.

**100 miliardów** ton dynamitu trzeba byłoby wysadzać co sekundę, żeby wytworzyć tyle energii, co Słońce.

**225 milionów** lat trwa obrót Słońca wokół centrum Drogi Mlecznej.

**40** procent jaśniej świeci Słońce teraz niż w czasie, gdy formowała się Ziemia. Naukowcy szacują, że jasność naszej gwiazdy zwiększa się o 10 procent co miliard lat.

**7,5** minuty może trwać najdłużej całkowite zaćmienie Słońca (gdy zasłania je Księżyc, „przechodząc" między nim a obserwatorem na Ziemi).

**800 000** kilometrów na godzinę to prędkość, z jaką Słońce obraca się wokół centrum Drogi Mlecznej.

# Włosy i włoski

**100** rubli na rok wynosił podatek od posiadania brody, jaki wprowadził w XVII-wiecznej Rosji car Piotr Wielki. Brodacz otrzymywał poświadczenie opłacenia podatku z adnotacją, że broda to bezużyteczny balast.

**115** sławnych głów oddało pukle swoich włosów do kolekcji zapoczątkowanej przez Jana Reznikoffa. Byli wśród nich: Abraham Lincoln, Marilyn Monroe, Albert Einstein, Napoleon i Karol Dickens.

**100** włosów wypada średnio dziennie z ludzkiej głowy.

**50** jaj na dzień składa jedna pchła w kociej lub psiej sierści.

**12,7** centymetra średnicy miała kula z kłaczków znaleziona w żołądku kotki Gemmy. Kłaczki powstają, gdy kot przypadkowo połyka sierść podczas codziennej toalety. Zazwyczaj jednak nie są one tak wielkie.

**6** lat nieprzerwanie rośnie ludzki włos. Potem następuje parotygodniowy okres obumierania i stary włos zostaje wypchnięty przez nowy.

**150 000** włosów rośnie na głowie przeciętnego człowieka.

**5** włochatych oczu znajduje się na głowie pszczoły. Naprawdę – pszczołom rosną włoski na oczach!

**2** rzędy rzęs wyrastają wokół oczu wielbłąda. Zapobiegają sypaniu się do oczu piasku z pustyni.

**3** razy głębiej od zwykłych włosów zakorzenione są w skórze cebulki kocich wąsów. Zwiększa to ich wrażliwość i pozwala kotu odbierać istotne bodźce zmysłowe.

**25** maleńkich roztoczy zwanych nużeńcami może żerować na jednej ludzkiej rzęsie.

13,5 centymetra to rekordowej długości włosy pod pachą, jakie zapuścił nastolatek Robert Starrett.
27,9 centymetra to rekord długości brody wyhodowanej przez V. Wheeler. Rekord wynika z faktu, że literka V. oznacza Vivian, a broda wyrosła u kobiety!
90 centymetrów długości osiąga sierść woła piżmowego. To rekord wśród dzikich zwierząt.

**4**-dniowe noszenie na głowie kolców jeżozwierza uważano w starożytnym Egipcie za remedium na łysienie.

**2** warstwy futra mają niedźwiedzie polarne. Krótkie futerko trzyma ciepło, natomiast zewnętrzna warstwa długiej sierści stanowi warstwę izolacyjną przed wilgocią.

**8** par nożyczek trzymał w jednej ręce amerykański fryzjer Bruce Choy podczas stylizacji fryzur klientek.

**5,6** metra długości osiągnęły włosy Xie Qiuping, która nie strzygła się przez 40 lat.

**200** małych włosków tworzy każdą z twoich rzęs.

**115 120** dolarów zapłacił fan Elvisa Presleya za kosmyk włosów z głowy króla rock'n'rolla.

**132–155 tysięcy** włosów rośnie na centymetrze kwadratowym skóry foki. Ma ona najgęstszą sierść wśród ssaków.

**5** różnych barw sierści może mieć baribal, czyli niedźwiedź czarny, nie zawsze jednak czarny. Sierść może też być brązowa, blond, cynamonowa lub biała.

**114** centymetrów wysokości osiągnął irokez na głowie Kazuhiro Watanabe. Spektakularna fryzura!

**0,03** milimetra grubości ma typowe włókno włosa.

**10 000** lat ma sierść mamutów odkrytych w wiecznej zmarzlinie na Syberii.

**1** centymetr na miesiąc rosną włosy. Stumetrowy dystans pokonałyby w 833 lata.

**3744** fryzury przedstawiono w pierwszym magazynie o modzie, wydanym w Paryżu w 1772 roku. Niektóre były tak wyszukane, że do ich stworzenia fryzjer potrzebowałby drabiny.

# Choroby

**8 milionów** zarazków może powstać w ciągu dnia z jednego początkowego. Niektóre bakterie potrafią mnożyć się co 20 minut.

**33** miesiące przeżyła na Księżycu kolonia bakterii, które trafiły tam od przypadkowego kichnięcia do wnętrza kamery wideo. Gdy po prawie 3 latach kamerę zabrano z powrotem, bakterie wciąż w niej żyły.

**2000** osób cierpiących na „chorobę królewską" dotknął w XVIII wieku władca francuski Ludwik XV. Wierzono bowiem, że tak zwane skrofuły (gruźlicę węzłów chłonnych) może uzdrowić tylko dotknięcie króla.

**25 milionów** Europejczyków (jedna trzecia ludności) zmarło podczas zarazy dżumy, która szalała w latach 1347–1352. Od tego czasu dżuma otrzymała przydomek „czarna śmierć".

**25 milionów** ludzi na świecie jest wystawionych na ryzyko zarażenia się malarią, chorobą przenoszoną przez komary.

**90** procent ludzi jest w naturalny sposób odpornych na trąd.

**21** dni może upłynąć od zarażenia się ospą wietrzną do pojawienia się pierwszych krost.

**7** na **10** ludzi ma chore dziąsła – to najbardziej rozpowszechniona choroba na świecie.

**30** pacjentów ma zdiagnozowaną alergię na wodę, co ogromnie utrudnia im życie.

**75** procent chorób atakujących ostatnio ludzi to zoonozy, czyli przenoszące się na człowieka ze zwierząt.

**400** osób zachorowało na tajemniczą pląsawicę w XVI-wiecznej Francji. Cierpiący na nią tańczyli całymi dniami aż do opadnięcia z sił.

**60** zarejestrowanych przypadków odnotowano dla choroby zwanej zespołem obcego akcentu. Chorym w niewytłumaczalny sposób zmienia się wymowa na zagraniczną.

**0,0005** milimetra to rozmiar najmniejszej zbadanej bakterii. Bakterie i tak należą do najmniejszych stworzeń na Ziemi.

**2** dni mijają przeciętnie od zarażenia wirusem grypy do wystąpienia pierwszych objawów.

**91**-procentowy spadkek liczby zachorowań na odrę odnotowano w Afryce w latach 2000–2006 dzięki kampanii szczepień.

**7000** rzadkich chorób notuje się na świecie. Rzadka, czyli choruje na nią mniej niż 1 na 2000 osób.

**10 000** leukocytów może być w kropli krwi. Komórki, zwane też białymi krwinkami, odpowiadają za odporność organizmu.

**47 529** osób w ciągu 8 godzin zaszczepiono przeciwko grypie podczas kampanii szczepień w Kalifornii w 2012 roku.

**161** kilometrów na godzinę osiąga powietrze wyrzucane podczas kichnięcia.

**3000** mikroskopijnych kropelek śliny wylatuje z ust przy kaszlnięciu.

**5 milionów** bakterii żyje średnio na każdym centymetrze ludzkiego ciała.

**200** przeziębień dopadnie cię najprawdopodobniej w ciągu całego życia.

**80** procent załogi sławnego żeglarza Magellana umarło na szkorbut podczas podróży przez Pacyfik w 1520 roku. Szkorbut to choroba wywołana brakiem witaminy C, można jej łatwo zapobiec, jedząc owoce i warzywa.

**42** stopnie Celsjusza to temperatura, przy której zaczynają wyłączać się funkcje organizmu człowieka. Prawidłowa temperatura ciała wynosi niecałe 37 stopni.

**10 milionów** ludzi wyleczyło się z trądu w latach 1983–1998.

**90** procent kobiet myje ręce przed wyjściem z toalety, a mężczyzn – tylko 67 procent.

**0** ludzi zachorowało na ospę w XXI wieku. Tę straszną chorobę wytępiono w poprzednim stuleciu, a oficjalnie ogłoszono świat wolnym od ospy w 1979 roku.

**100** turystów z objawami „syndromu Stendhala" przebadali lekarze i naukowcy z Florencji. Zaburzenie to przejawia się przyspieszonym biciem serca, zawrotami głowy, dezorientacją, a nawet omdleniami, i powstaje na widok wspaniałych dzieł sztuki.

**0,5** milimetra średnicy ma bakteria odkryta w osadach u wybrzeży Afryki. Jak na bakterię jest tak wielka, że można ją zobaczyć gołym okiem.

# Wikingowie

**9** światów istniało w mitologii nordyckiej. Midgard był światem ludzi. Wyróżniano też krainy bogów, olbrzymów, elfów, krasnoludów, zmarłych oraz demonów.

**3** współczesne państwa należały do krain ojczystych Wikingów – Norwegia, Szwecja i Dania.

**30 000** metalowych pierścieni składało się na ochronną, bojową kolczugę noszoną przez Wikingów.

**0** rogów miały hełmy Wikingów. Tę widowiskową dekorację wymyślili dużo później pisarze i filmowcy.

**3** boginie losu, Norny, przędły nitki życia, od których zależały losy wszystkich żyjących stworzeń. Te postaci z mitologii nordyckiej nosiły imiona Urd (przeszłość), Verdani (teraźniejszość) i Skuld (przyszłość).

**189** krów grzywny należało zapłacić za zabójstwo na ziemiach Wikingów.

**1** raz na tydzień Wikingowie brali kąpiel, przez co byli uznawani za czyściochów wśród Sasów, którzy kąpali się raz na rok.

**19** braci zginęło z ręki dwudziestego, który przez potomnych został zapamiętany jako Eryk Krwawy Topór.

**4** Wikingów koronowało się na królów Anglii – Swen Widłobrody, Kanut, Harold Zajęcza Stopa i Hardekanut.

**54** pozbawione głów trupy Wikingów odkryto w 2009 roku w południowej Anglii. Z boku ułożono na stosie ich głowy.

**27** lat trwało panowanie duńskiego króla Haralda Sinozębego (958–985). Zginął w bitwie przeciwko wojskom własnego syna.

**12**-letni Vagn Åkesson pokonał w walce przeciwnika i został przyjęty do Jomswikingów. Tymczasem minimalnym wiekiem dla kandydatów do Wikingów z Jomsborga było 18 lat.

**30** par sosnowych nart Wikingów znaleźli archeolodzy. Wśród znalezisk z dawnych czasów są też łyżwy ze zwierzęcych kości.

**24** znaki miało używane przez Wikingów pismo, zwane runicznym.

**20** centymetrów długości ma skamieniały stolec Wikinga z muzeum w Yorku. To największa muzealna kupa na świecie!

**150** centymetrów długości miały wielkie dwustronne topory Wikingów, budzące postrach wśród wrogów.

**120**-centymetrowej wysokości tarcze Wikingów pozwalały tworzyć im w bitwie tak zwany mur tarcz, by zatrzymać natarcie przeciwników.

**60** kamieni wyznaczało obrys statku w szwedzkim Gettlinge. Takie statki oznaczały miejsca pochówku.

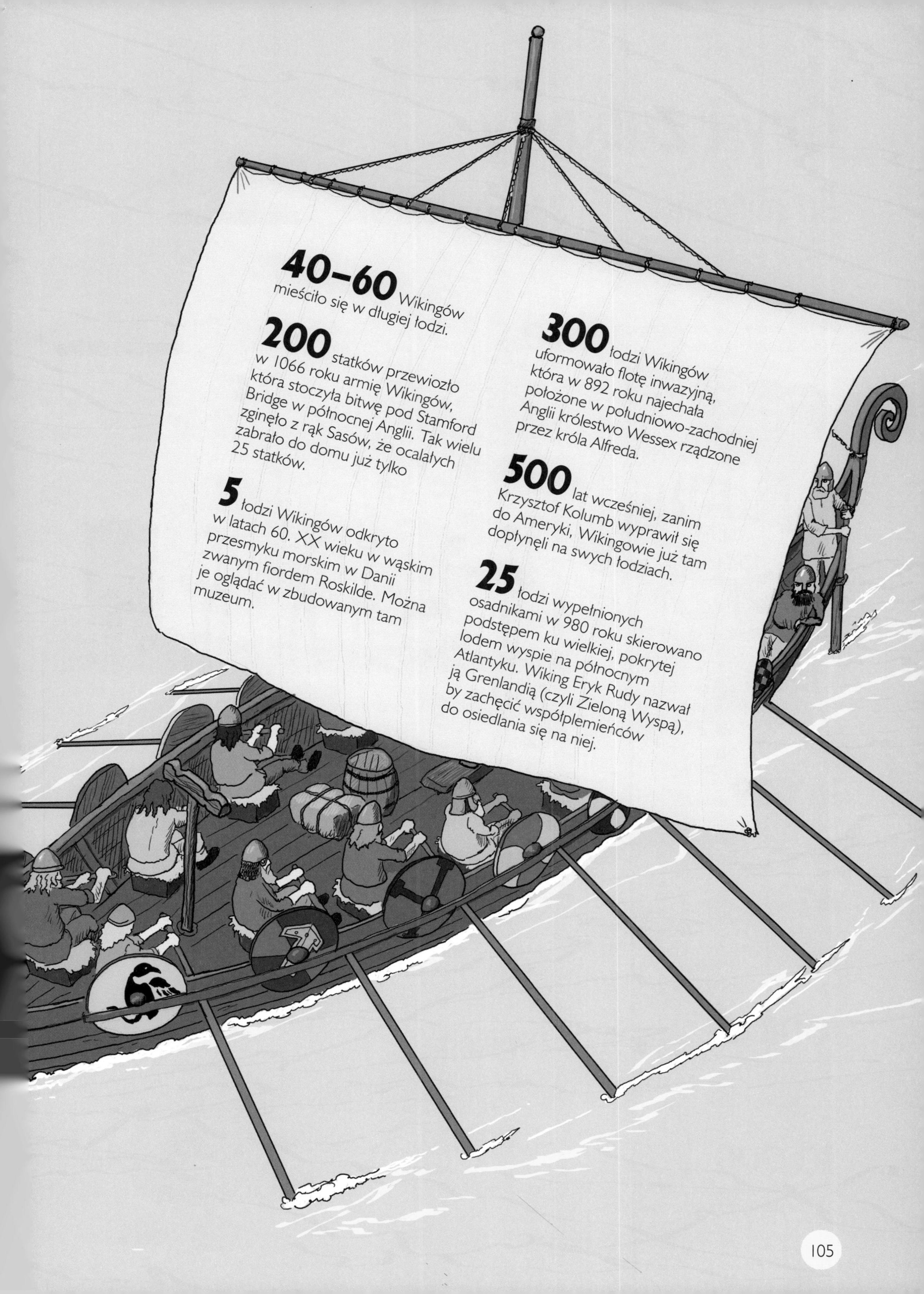
40–60 Wikingów
mieściło się w długiej łodzi.
200 statków przewiozło
w 1066 roku armię Wikingów,
która stoczyła bitwę pod Stamford
Bridge w północnej Anglii. Tak wielu
zginęło z rąk Sasów, że ocalałych
zabrało do domu już tylko
25 statków.
5 łodzi Wikingów odkryto
w latach 60. XX wieku w wąskim
przesmyku morskim w Danii
zwanym fiordem Roskilde. Można
je oglądać w zbudowanym tam
muzeum.
300 łodzi Wikingów
uformowało flotę inwazyjną,
która w 892 roku najechała
położone w południowo-zachodniej
Anglii królestwo Wessex rządzone
przez króla Alfreda.
500 lat wcześniej, zanim
Krzysztof Kolumb wyprawił się
do Ameryki, Wikingowie już tam
dopłynęli na swych łodziach.
25 łodzi wypełnionych
osadnikami w 980 roku skierowano
podstępem ku wielkiej, pokrytej
lodem wyspie na północnym
Atlantyku. Wiking Eryk Rudy nazwał
ją Grenlandią (czyli Zieloną Wyspą),
by zachęcić współplemieńców
do osiedlania się na niej.

# Gry i zabawy

**311 milionów** maleńkich opon do pojazdów z klocków wyprodukowała w 2011 roku firma Lego.

**2** lalki Barbie kupuje się gdzieś na świecie co sekundę.

**350 milionów** kostek Rubika sprzedano do tej pory. Ustawione jedna na drugiej utworzyłyby górę 1937 razy wyższą od Mount Everest.

**20** różnych odpowiedzi może udzielić służąca do „przepowiadania" przyszłości zabawka Magic 8-Ball. Po zadaniu pytania należy ją odwrócić i odczytać odpowiedź wyświetloną w tajemniczym błękitnym płynie.

**24** metry zwiniętego spiralnie drutu to oryginalna zabawka Slinky – sprężyna schodząca sama po schodach.

**15** lat ma ciągle Jeż Sonic, bohater popularnej gry wideo. Nigdy się nie starzeje.

**100**-jenowych monet zabrakło w 1978 roku w Japonii, gdy ludzie zaczęli masowo wrzucać je do maszyn z nową grą Najeźdźcy z Kosmosu.

**16 029** dolarów wylicytowano za jo-jo podpisane przez prezydenta USA Richarda Nixona.

**42** otwory ma matryca gry w Czwórki. Gracze na zmianę wrzucają żetony do matrycy. Wygrywa ten, kto ustawi cztery własne w jednym rzędzie.

**1008** mat do Twistera rozłożono w amerykańskiej szkole podczas rekordowej gry, z której dochód był na cele charytatywne.

**30 000** rozgrywek w Scrabble w każdej godzinie rozpoczyna się gdzieś na świecie.

**12**-częściowy luksusowy dom dla lalek poleciła zbudować aktorka Colleen Moore w latach 30. XX wieku. Ten Bajkowy Zamek miał miniaturowe żyrandole z prawdziwych brylantów, obrazy namalowane przez samego Walta Disneya oraz wanienkę ze srebra, do której lała się woda z fontanny w kształcie maleńkich delfinów.

**20** godzin potrafił spędzić artysta Jeff Gagliardi, tworząc dzieła przy pomocy zabawkowej tablicy Etch-a-Sketch, w której porusza się rysikiem za pomocą dwóch gałek. Jeff odtworzył na zabawce dzieła najsłynniejszych artystów, od Leonarda da Vinci po Picassa.

**1 milion** zabawek o nazwie Pan Bulwa sprzedano w samym tylko 1952 roku. Przez kolejne 12 lat dzieci wtykały elementy twarzy w prawdziwą bulwę ziemniaczaną. W 1964 roku do zestawu dodano plastikową głowę, więc zabawka nigdy więcej już nie gniła.

**125** zawodów może wykonywać popularna lalka Barbie. Może być m.in. projektantką mody, pielęgniarką oraz astronautką.

**605 milionów** ludzi na świecie potrafi grać w szachy.

**67** postaci z klocków Lego przypada na 1 żyjącego na świecie człowieka.

**1,5 miliarda** zabawek rocznie dodaje do swych produktów McDonald's – największy dystrybutor zabawek na świecie.

**6** podejrzanych o morderstwo występowało w oryginalnej wersji gry planszowej Cluedo. Byli to: Pułkownik Mustard, Profesor Plum, Wielebny Green, Pani Peacock, Panna Scarlet oraz Pani White.

**54** podłużne drewniane klocki służą do budowy wieży Jenga. Gra polega na wyciąganiu niżej położonych klocków i układaniu ich na szczycie. Przegrywa osoba, która, wyciągając klocek, przewróci wieżę.

**25** ton waży zbudowany w Australii ogromny koń na biegunach. Turyści mogą wspinać się na jego grzbiet i otrzymują specjalny certyfikat, gdy im się to uda.

**1080** godzin trwał ekscytujący turniej w podwodny Monopol. Tak ... podwodny! Gracze byli płetwonurkami, a plansze specjalnie przygotowano do zanurzenia w wodzie.

**2,1 miliona** dolarów wylicytowano za pluszowego misia z niemieckiej fabryki Steiff, który trafił do muzeum pluszaków w Korei. Miś nosi strój uszyty przez sławnego dyktatora mody Louis Vuitton.

**930** elektrycznych kolejek dziecięcych wyrusza codziennie w trasę w największym królestwie modelarstwa na świecie. Te fantastyczne minipociągi można oglądać w niemieckim Miniatur Wunderland w Hamburgu.

# Ciekawostki o jedzeniu

**15 433** ziarna pszenicy trzeba zmielić, by powstał 1 kilogram mąki.

**875 000** kostek czekolady dałoby ci dość energii, by obejść świat dookoła.

**100 000** ziarnek dmuchanego ryżu mieści się w pudełku płatków śniadaniowych. Trzeszczą one przy zalewaniu mlekiem, gdyż zmiana temperatury powoduje pękanie ryżowych ścianek.

**130** miligramów witaminy C zawiera porcja jarmużu (odmiany kapusty). To prawie dwa razy więcej niż w pomarańczach.

**50–100** receptorów mieści się w każdym z kubków smakowych na języku. Dzięki nim rozróżniamy smaki: słodki, gorzki, kwaśny, słony i umami (mięsny).

**38** stopni Celsjusza to temperatura mleka prosto od krowy.

**8** lat i **7** miesięcy należałoby bez przerwy krzyczeć, by energia fal dźwiękowych podgrzała filiżankę kawy.

**340** kilogramów ważyła pierwsza kuchenka mikrofalowa. Wynalazł ją Percy Lebaron Spencer, który zauważył, że czekolada w kieszeni spodni rozpuściła się, gdy przechodził obok urządzenia zwanego magnetronem.

**11** kawałków sierści gryzoni to dopuszczalna liczba w porcji cynamonu ważącej 50 gramów.

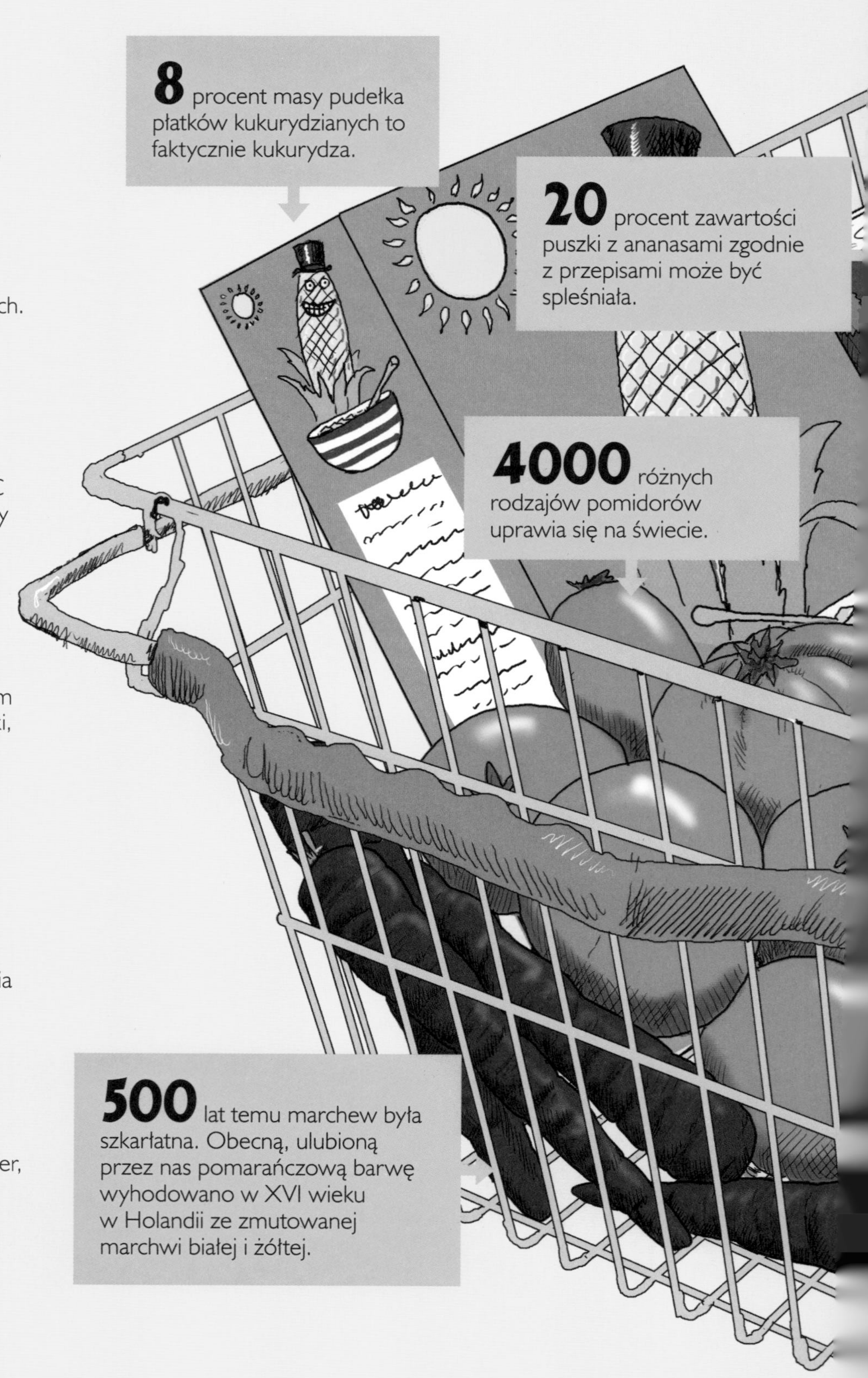

**8** procent masy pudełka płatków kukurydzianych to faktycznie kukurydza.

**20** procent zawartości puszki z ananasami zgodnie z przepisami może być spleśniała.

**4000** różnych rodzajów pomidorów uprawia się na świecie.

**500** lat temu marchew była szkarłatna. Obecną, ulubioną przez nas pomarańczową barwę wyhodowano w XVI wieku w Holandii ze zmutowanej marchwi białej i żółtej.

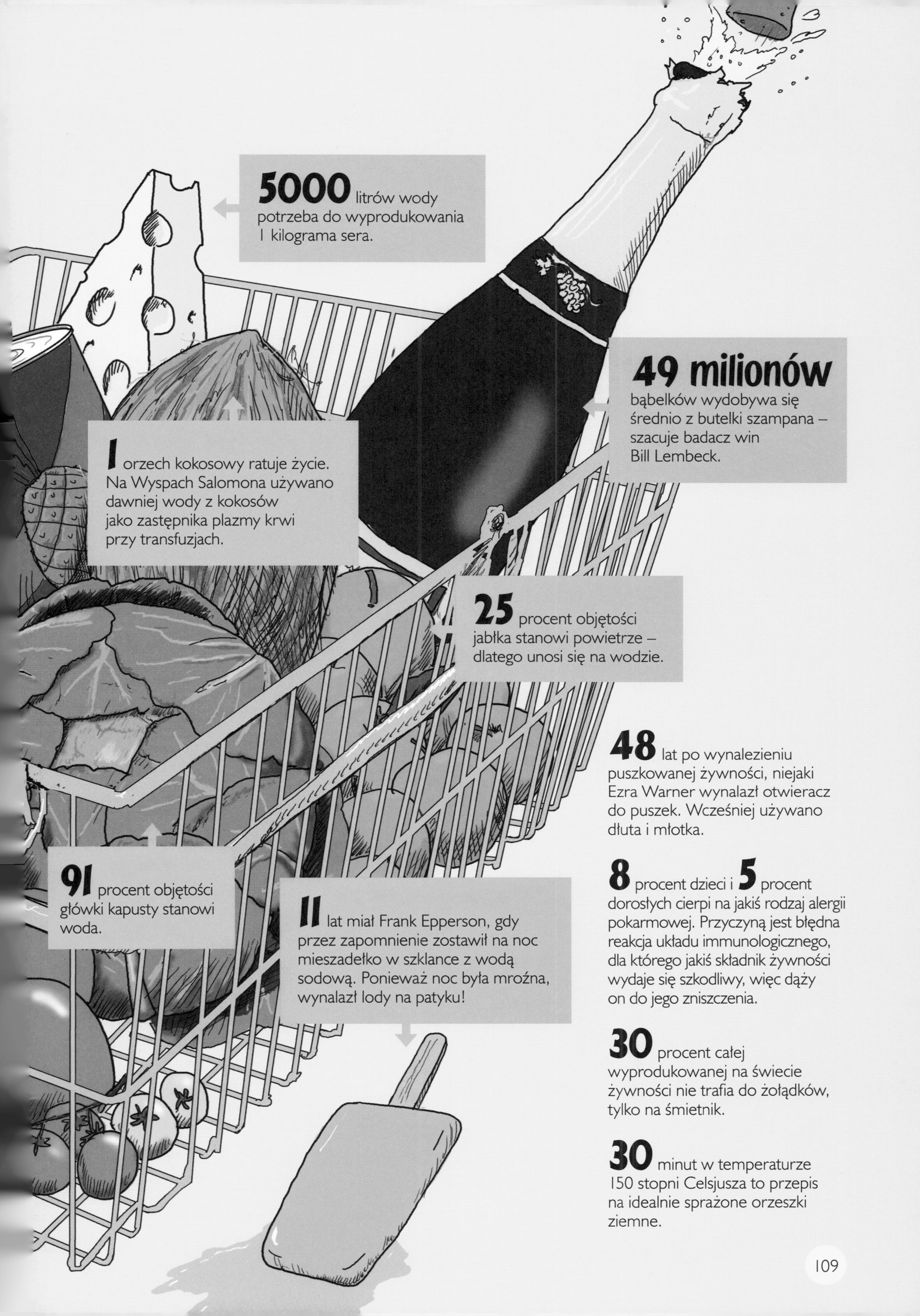

**5000** litrów wody potrzeba do wyprodukowania 1 kilograma sera.

**49 milionów** bąbelków wydobywa się średnio z butelki szampana – szacuje badacz win Bill Lembeck.

**1** orzech kokosowy ratuje życie. Na Wyspach Salomona używano dawniej wody z kokosów jako zastępnika plazmy krwi przy transfuzjach.

**25** procent objętości jabłka stanowi powietrze – dlatego unosi się na wodzie.

**48** lat po wynalezieniu puszkowanej żywności, niejaki Ezra Warner wynalazł otwieracz do puszek. Wcześniej używano dłuta i młotka.

**91** procent objętości główki kapusty stanowi woda.

**11** lat miał Frank Epperson, gdy przez zapomnienie zostawił na noc mieszadełko w szklance z wodą sodową. Ponieważ noc była mroźna, wynalazł lody na patyku!

**8** procent dzieci i **5** procent dorosłych cierpi na jakiś rodzaj alergii pokarmowej. Przyczyną jest błędna reakcja układu immunologicznego, dla którego jakiś składnik żywności wydaje się szkodliwy, więc dąży on do jego zniszczenia.

**30** procent całej wyprodukowanej na świecie żywności nie trafia do żołądków, tylko na śmietnik.

**30** minut w temperaturze 150 stopni Celsjusza to przepis na idealnie sprażone orzeszki ziemne.

# Historyczne budowle

**138** egipskich piramid odkryto do tej pory.

**50 000** widzów mogło podziwiać walki gladiatorów w Koloseum, ogromnym rzymskim amfiteatrze.

**6** kruków mieszka w londyńskiej twierdzy Tower pod opieką strażnika zwanego Mistrzem Kruków. Legenda głosi, że jeśli kruki opuszczą Tower, upadnie królestwo Anglii.

**2 300 000** kamiennych bloków posłużyło do budowy Wielkiej Piramidy w egipskiej Gizie. Każdy z głazów ważył od 2 do 70 ton.

**109** lat trwała budowa słynnej paryskiej katedry Notre-Dame.

**6**-metrowej grubości warstwa popiołów pokryła rzymskie miasto Pompeje w wyniku erupcji Wezuwiusza w 79 roku p.n.e. Wiele wieków później odkopano tę perłę starożytnego świata.

**20 000** pięknych fajansowych płytek zdobi Błękitny Meczet w Stambule.

**900** łaźni funkcjonowało w starożytnym Rzymie około 300 roku p.n.e.

**5000** lat liczy sobie miejsce pochówku odkryte w Danii. Wewnątrz znaleziono 40 ciał, a na jednym z nich ślady pradawnych zabiegów dentystycznych.

**8000** żołnierzy pilnowało wiecznego spoczynku chińskiego cesarza o imieniu Qin Shi. Tak zwana Terakotowa Armia złożona z naturalnej wielkości posągów powstała w III wieku p.n.e.

**56** kilometrów to odległość, z jakiej marynarze dostrzegali światło z 135-metrowej Latarni Aleksandryjskiej. Zbudowano ją w 280 roku p.n.e. Miała tak imponujący wygląd, że zaliczono ją do 7 cudów starożytnego świata (niestety nie przetrwała do dziś).

**118** wysp, 416 mostów i 177 kanałów to geografia starego włoskiego miasta – Wenecji.

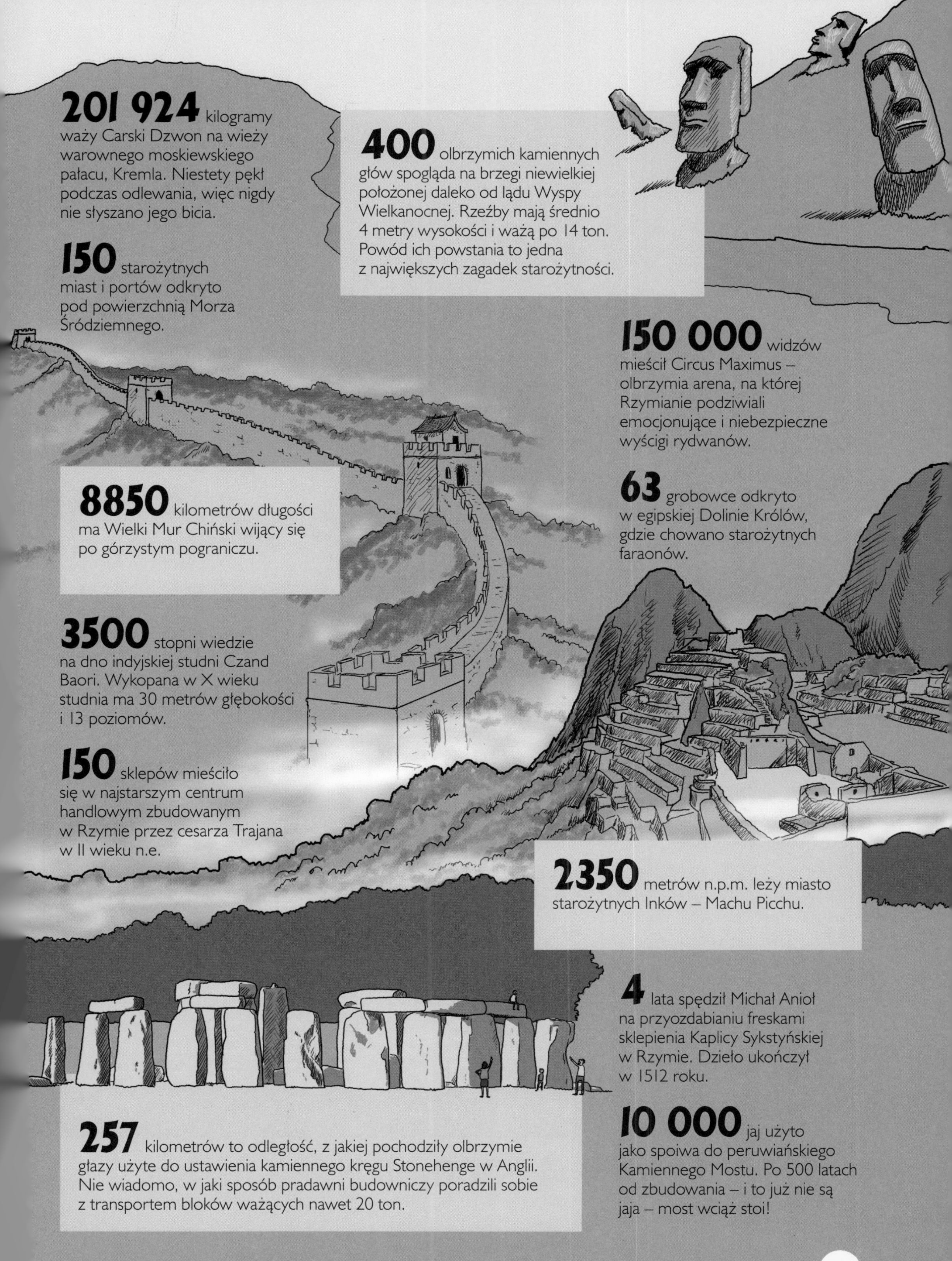

**201 924** kilogramy waży Carski Dzwon na wieży warownego moskiewskiego pałacu, Kremla. Niestety pękł podczas odlewania, więc nigdy nie słyszano jego bicia.

**400** olbrzymich kamiennych głów spogląda na brzegi niewielkiej położonej daleko od lądu Wyspy Wielkanocnej. Rzeźby mają średnio 4 metry wysokości i ważą po 14 ton. Powód ich powstania to jedna z największych zagadek starożytności.

**150** starożytnych miast i portów odkryto pod powierzchnią Morza Śródziemnego.

**150 000** widzów mieścił Circus Maximus – olbrzymia arena, na której Rzymianie podziwiali emocjonujące i niebezpieczne wyścigi rydwanów.

**8850** kilometrów długości ma Wielki Mur Chiński wijący się po górzystym pograniczu.

**63** grobowce odkryto w egipskiej Dolinie Królów, gdzie chowano starożytnych faraonów.

**3500** stopni wiedzie na dno indyjskiej studni Czand Baori. Wykopana w X wieku studnia ma 30 metrów głębokości i 13 poziomów.

**150** sklepów mieściło się w najstarszym centrum handlowym zbudowanym w Rzymie przez cesarza Trajana w II wieku n.e.

**2350** metrów n.p.m. leży miasto starożytnych Inków – Machu Picchu.

**4** lata spędził Michał Anioł na przyozdabianiu freskami sklepienia Kaplicy Sykstyńskiej w Rzymie. Dzieło ukończył w 1512 roku.

**257** kilometrów to odległość, z jakiej pochodziły olbrzymie głazy użyte do ustawienia kamiennego kręgu Stonehenge w Anglii. Nie wiadomo, w jaki sposób pradawni budowniczy poradzili sobie z transportem bloków ważących nawet 20 ton.

**10 000** jaj użyto jako spoiwa do peruwiańskiego Kamiennego Mostu. Po 500 latach od zbudowania – i to już nie są jaja – most wciąż stoi!

# Azja

**49** państw leży na kontynencie azjatyckim – od najdalej na północ wysuniętej Rosji po Malezję i Indonezję na południu.

**6300** kilometrów długości ma płynąca przez Chiny rzeka Jangcy. To najdłuższa rzeka Azji i trzecia pod tym względem na świecie.

**1800** kilometrów długości ma Wielki Kanał Chiński. To najdłuższa na świecie wykopana przez człowieka wodna droga śródlądowa.

**6540** osób na kilometr kwadratowy wynosi zaludnienie w Hong Kongu, jednym z najgęściej zamieszkanych miejsc świata.

**36** kilogramów osiąga indonezyjski Smok z Komodo. To największa jaszczurka na świecie.

**15 milionów** turystów rocznie zwiedza kompleks pałaców cesarskich w Pekinie zwany Zakazanym Miastem. To bodaj najczęściej odwiedzane zakazane miejsce na świecie!

**15 000** lodowców można doliczyć się w Himalajach.

**163** piętra ma wieżowiec Burdż Chalifa w Dubaju. Jego czubek wznosi się 828 metry ponad piaskami okolicznej pustyni.

**390** metrów p.p.m. leży lustro Morza Martwego. To najniżej położone miejsce na lądzie na świecie.

**10** razy większe jest zasolenie Morza Martwego od zasolenia zwykłej wody morskiej.

**70 milionów** lat upłynęło od wypiętrzenia łańcucha Himalajów. Brzmi jakby były wiekowe, ale w rzeczywistości to najmłodsze góry świata.

**154 000** poczt funkcjonuje w Indiach – to rekordowa liczba na świecie.

**3200** tygrysów żyje na wolności. Wyłącznie w Azji.

**45 000** uczniów liczy Miejska Szkoła im. Montessori w indyjskim Lucknow. Ma 1000 sal i uczy tu ponad 2500 nauczycieli.

**8848** metrów n.p.m. wznosi się szczyt Mount Everest – najwyższa góra świata.

**1600** pand wielkich żyje na wolności. Wyłącznie w Chinach.

**2** państwa koreańskie – Korea Północna i Południowa – formalnie są wciąż w stanie wojny i nie można podróżować z jednego do drugiego.

**40** procent ludności Wietnamu nosi nazwisko Nguyen.

**2** kraje azjatyckie mają ponad miliard ludności – Chiny i Indie.

**660** kilometrów długości ma zbiornik wodny spiętrzony za gigantyczną Tamą Trzech Przełomów w Chinach.

**3** systemy zapisu stosuje się w języku japońskim: hiragana, katakana i kanji. Pierwszy to alfabet do zapisu oryginalnych słów japońskich, drugi do słów pochodzenia obcego, natomiast kanji to chińskie znaki zastosowane do pojęć w języku japońskim.

**1000** filmów rocznie produkuje się w Bollywood – hinduskim ośrodku przemysłu rozrywkowego w Bombaju.

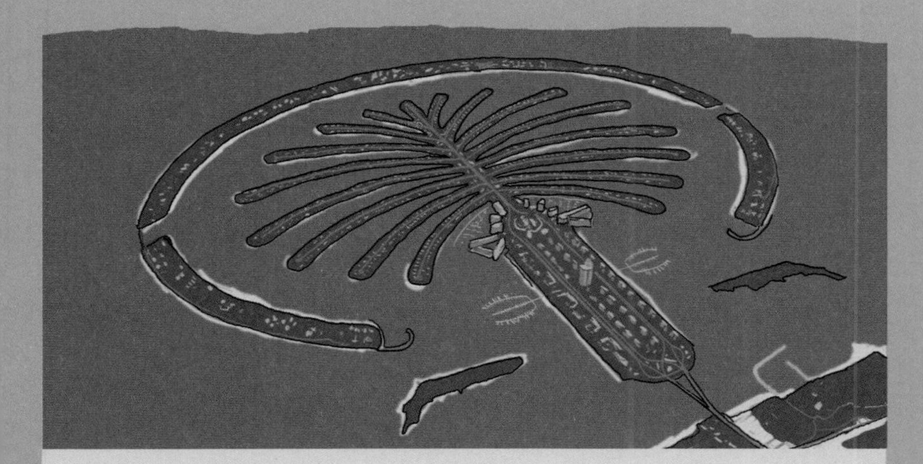

**5,6 miliona** metrów kwadratowych powierzchni ma sztucznie usypana wyspa Palma Dżamira u brzegu Dubaju. Ta niewiarygodna konstrukcja wygląda z góry jak ogromna palma.

**54 000** orangutanów żyje na Borneo, 6000 zaś na Sumatrze.

**6**-krotnie zwiększa się w porze deszczowej objętość kambodżańskiego jeziora Tonle Sap.

**60** czynnych wulkanów można naliczyć w Japonii.

**534** nowe gatunki odkryto w dżungli Borneo w latach 1994–2007.

# Zachwyt nad sztuką

**40 000** lat temu powstały pierwsze znane nauce malunki na ścianach hiszpańskich jaskiń El Castillo.

**47** dni wisiał do góry nogami słynny obraz Henry'ego Matisse'a w jednej z nowojorskich galerii sztuki, zanim zauważono pomyłkę.

**1,3 miliona** dolarów wylicytowano za chińską wazę z czasów dynastii Ming, która służyła w pewnym nowojorskim domu jako blokada drzwi.

**36 milionów** osób odwiedziło objazdową wystawę Body Worlds, na której wypreparowane zwłoki prezentowane są w formie sztuki.

**1000** torebek herbaty zużył brytyjski artysta Andy Brown na stworzenie portretu królowej Elżbiety II.

**6 milionów** osób ogląda rocznie słynny obraz Mona Lisa w paryskim Luwrze. Średni czas podziwiania arcydzieła wynosi 15 sekund.

**4** lata miała wyjątkowo młoda australijska artystka Aelita Andre, gdy zorganizowano jej wystawę w Nowym Jorku. 3 z jej obrazów sprzedano za 27 tysięcy dolarów.

**1** obraz sprzedał za życia Vincent Van Gogh. Obecnie uważa się go za jednego z najwybitniejszych artystów, lecz sławę zdobył dopiero po śmierci.

**4** lata trwało malowanie przez Michała Anioła fresków na sklepieniu Kaplicy Sykstyńskiej w Watykanie.

**30** metrów szerokości miały gigantyczne jaja sadzone, które artysta Henk Hofstra rozłożył na głównym placu holenderskiego miasta Leeuwarden.

**147 800** dzieł sztuki stworzył w ciągu długiego życia słynny hiszpański artysta Pablo Picasso.

**3,3 miliona** klocków Lego użyto do budowy piętrowego domu rzeczywistej wielkości.

**100 milionów** osobno malowanych porcelanowych ziaren słonecznika wypełniło olbrzymi hol w londyńskiej galerii Tate Modern w 2010 roku.

**12** kolorów wypełnia tradycyjne koło barw. Są to 3 kolory podstawowe (czerwony, niebieski i żółty), 3 kolory drugorzędowe (powstające ze zmieszania 2 barw podstawowych) oraz 6 kolorów trzeciorzędowych (odcieni powstających ze zmieszania barwy podstawowej z drugorzędową).

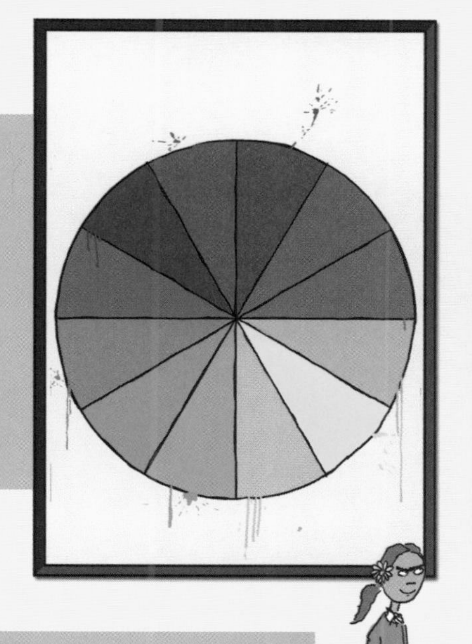

**5** litrów własnej zamrożonej krwi użył artysta Marc Quinn do wyrzeźbienia swojego popiersia. Po raz pierwszy wystawiono je w jednej z londyńskich galerii.

**55** spośród **143** obrazów, jakie namalowała słynna meksykańska artystka Frida Kahlo, to autoportrety.

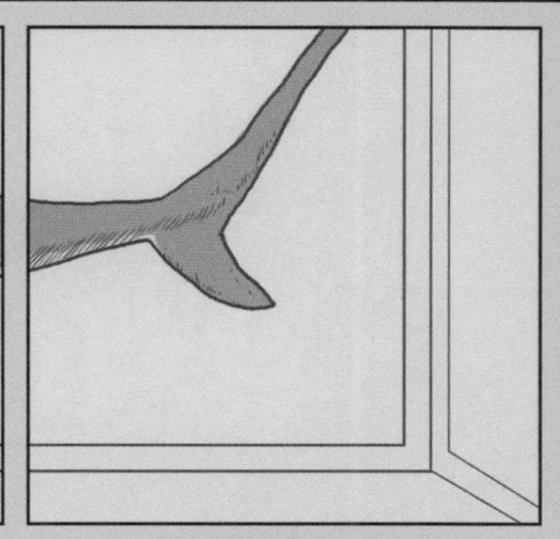

**120** kredek różnych kolorów znajduje się w największym pudełku firmy Crayola. Odcienie noszą fantazyjne nazwy, na przykład Dżem Jazzgodowy, Fuzzy Wuzzy czy Bananowa Mania.

**208** metrów wysokości ma olbrzymi posąg Buddy wykonany ze złota, stojący w Świątyni Wiosny w Chinach. Budowa giganta kosztowała 18 milionów dolarów.

**2 miliony** dzieł sztuki liczy stała kolekcja nowojorskiego Metropolitan Museum of Art.

**6000** funtów zapłacił artysta Damien Hirst australijskiemu rybakowi, aby złapał mu rekina tygrysiego do pracy pod tytułem „Fizyczna niemożliwość śmierci w umyśle żyjącego".

**127 300** kilogramów waży rzeźba Nowojorskie Mieszkanie Ziemi, którą stworzył Walter de Maria. Wypełnił on ziemią cały 335-metrowy apartament na pierwszym piętrze.

**25** obrazów wchodzi w skład najsłynniejszej serii, którą namalował Claude Monet. Chodziło o przedstawienie tego samego obiektu o różnych porach dnia, przy zmieniającej się pogodzie.

**1/3** kropki na końcu zdania to rozmiar mikroskopijnej rzeźby autorstwa Willarda Wigana. Niedostrzegalne gołym okiem dzieło mieści się na czubku szpilki.

# Piraci

**3**-krotnie fale przypływu musiały zalać piratów skazanych na powieszenie nad mulistą Tamizą w Londynie. Dopiero wtedy uznawano ich za zmarłych i zdejmowano z szubienicy.

**500** dolarów nagrody za zabicie pirata imieniem Jean Lafitte oferował rozjuszony jego napaściami gubernator. Lafitte zrewanżował się obietnicą potrojenia nagrody dla zabójcy gubernatora.

**12** lat miał Morato Arráez, gdy przystąpił do piratów. Później wyrósł na jednego z najstraszliwszych korsarzy.

**2** członków załogi pirackiego statku Revenge było płci żeńskiej – Anne Bonny i Mary Read.

**9** powiązanych w supełki rzemieni przymocowanych do rękojeści – tak wyglądał bat do karania piratów.

**8** wieczór – o tej godzinie pirat Black Bart ogłaszał ciszę nocną dla załogi.

**900** metrów wynosił zasięg kul armatnich wystrzeliwanych ze statku pirackiego do nieszczęsnych ofiar.

**4000** szczurów zabiła załoga pewnego hiszpańskiego statku korsarskiego podczas jednej tylko wyprawy.

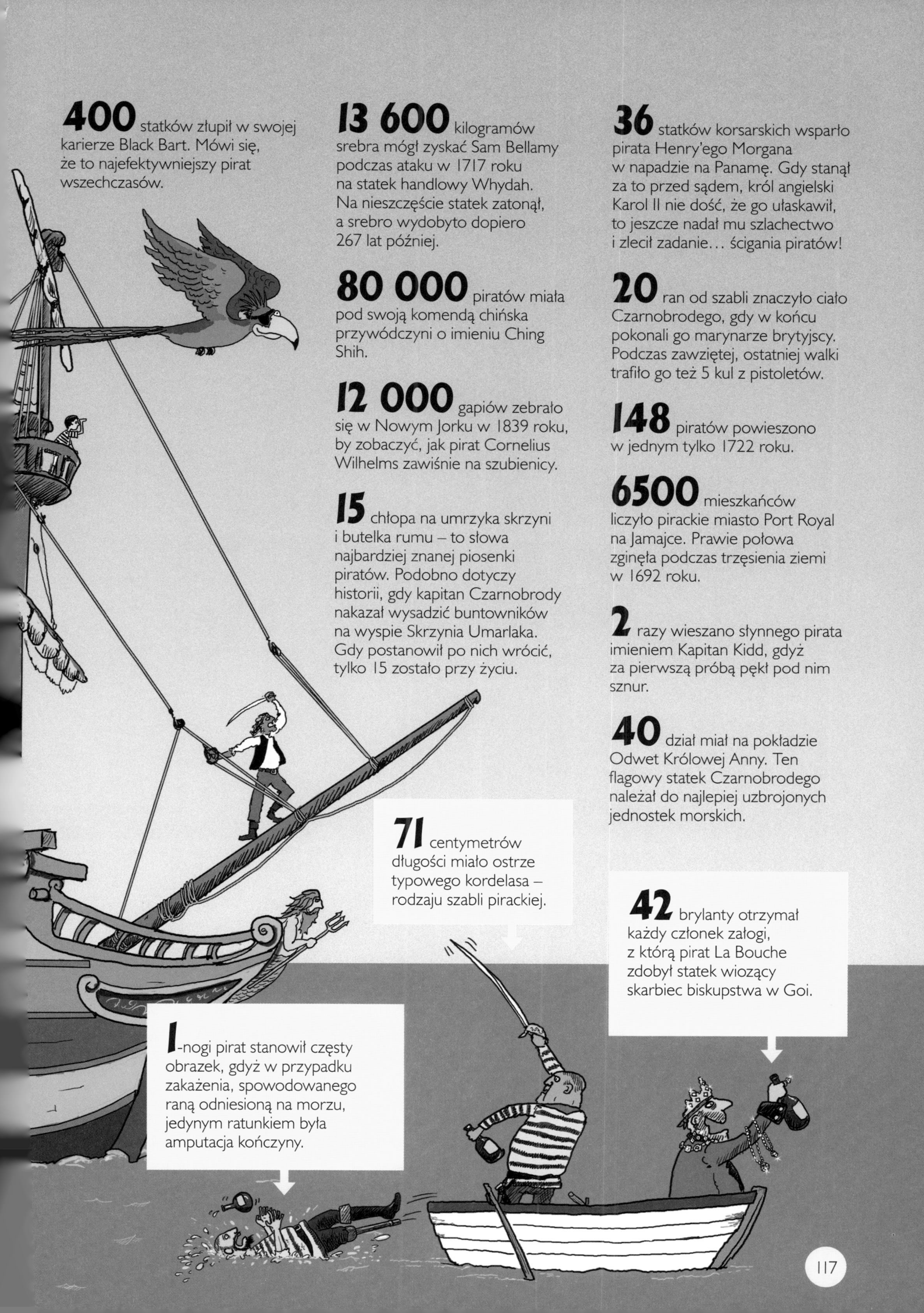

**400** statków złupił w swojej karierze Black Bart. Mówi się, że to najefektywniejszy pirat wszechczasów.

**13 600** kilogramów srebra mógł zyskać Sam Bellamy podczas ataku w 1717 roku na statek handlowy Whydah. Na nieszczęście statek zatonął, a srebro wydobyto dopiero 267 lat później.

**80 000** piratów miała pod swoją komendą chińska przywódczyni o imieniu Ching Shih.

**12 000** gapiów zebrało się w Nowym Jorku w 1839 roku, by zobaczyć, jak pirat Cornelius Wilhelms zawiśnie na szubienicy.

**15** chłopa na umrzyka skrzyni i butelka rumu – to słowa najbardziej znanej piosenki piratów. Podobno dotyczy historii, gdy kapitan Czarnobrody nakazał wysadzić buntowników na wyspie Skrzynia Umarlaka. Gdy postanowił po nich wrócić, tylko 15 zostało przy życiu.

**36** statków korsarskich wsparło pirata Henry'ego Morgana w napadzie na Panamę. Gdy stanął za to przed sądem, król angielski Karol II nie dość, że go ułaskawił, to jeszcze nadał mu szlachectwo i zlecił zadanie… ścigania piratów!

**20** ran od szabli znaczyło ciało Czarnobrodego, gdy w końcu pokonali go marynarze brytyjscy. Podczas zawziętej, ostatniej walki trafiło go też 5 kul z pistoletów.

**148** piratów powieszono w jednym tylko 1722 roku.

**6500** mieszkańców liczyło pirackie miasto Port Royal na Jamajce. Prawie połowa zginęła podczas trzęsienia ziemi w 1692 roku.

**2** razy wieszano słynnego pirata imieniem Kapitan Kidd, gdyż za pierwszą próbą pękł pod nim sznur.

**40** dział miał na pokładzie Odwet Królowej Anny. Ten flagowy statek Czarnobrodego należał do najlepiej uzbrojonych jednostek morskich.

**71** centymetrów długości miało ostrze typowego kordelasa – rodzaju szabli pirackiej.

**42** brylanty otrzymał każdy członek załogi, z którą pirat La Bouche zdobył statek wiozący skarbiec biskupstwa w Goi.

**1**-nogi pirat stanowił częsty obrazek, gdyż w przypadku zakażenia, spowodowanego raną odniesioną na morzu, jedynym ratunkiem była amputacja kończyny.

# Ciemne jaskinie

**20 milionów** nietoperzy zamieszkuje jaskinię Bracken w Teksasie. Każdej nocy wylatują na łowy tak wielką chmarą, że ich wylot trwa do 3 godzin.

**85–100** ton nietoperzego guano (łajna) gromadzi się rocznie w jaskini Bracken. Zbiera się je i sprzedaje jako nawóz na okoliczne pola.

**1** metr rozpiętości osiągają skrzydła owocożernych rudawkowatych, największych nietoperzy zamieszkujących jaskinie. Uważano je za wymarłe, dopóki nie odkryto ich w trudno dostępnych jaskiniach w Papui-Nowej Gwinei.

**44** stopnie Celsjusza wynosi temperatura wewnątrz Jaskini Kryształowej w Meksyku. To najcieplejsza jaskinia na świecie.

**50 000** to szacowana liczba odrębnych gatunków troglobiontów, czyli organizmów żyjących wyłącznie w jaskiniach.

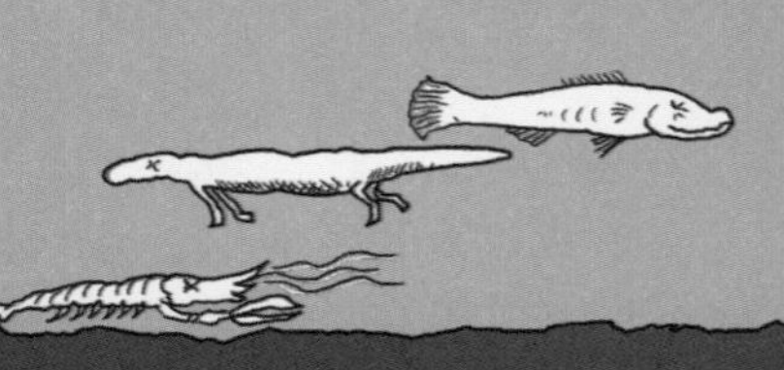

**150** metrów przepłynął Carlos Coste przez zatopioną jaskinię w Meksyku. Dokonał tego bez żadnego sprzętu do oddychania pod wodą.

**560** kilometrów przejść w Jaskini Mamuciej w stanie Kentucky dotychczas zbadano. Szacuje się, że do spenetrowania pozostało 966 kilometrów.

**8000** podobizn Buddy można znaleźć w fascynujących jaskiniach Pindaya w Birmie.

**186** dzieci uczęszczało do szkoły w chińskiej miejscowości Dongzhong. Warto o tym wspomnieć, bo do 2011 roku zajęcia odbywały się w jaskini.

**24 000** żołnierzy zakwaterowano w jaskiniach pod francuskim miastem Arras w czasie I wojny światowej. Armia wybudowała tam szpital, kantyny, a nawet podziemną linię kolejową.

**427** metrów leciałby w powietrzu nieszczęśnik, gdyby pechowo wpadł do Jaskini Połyk w Meksyku.

**8** samolotów pasażerskich zmieściłoby się w Komnacie Sarawak w Malezji. Ta jaskinia ma 100 metrów wysokości, 700 długości i 400 szerokości.

**2196** metrów pod poziomem gruntu znalazł się zespół grotołazów badający najgłębszą jaskinię świata – Kruberę w Gruzji.

**6646** metrów n.p.m. jest wejście do jaskini odkrytej w drodze na Rakhiot Peak. To najwyżej położona jaskinia na świecie.

**8,2** metra długości ma stalaktyt u stropu Groty Jeita w Libanie. Stalaktyt to mineralny naciek w kształcie sopla zwisający ze sklepienia jaskini.

**60** metrów wysokości ma ogromny stalagmit (mineralna struktura wyrastająca z dna jaskini) na Kubie, w miejscu zwanym Piekielna Grota Martina. Podobnej wysokości jest Krzywa Wieża w Pizie.

**69** różnych zwierząt odkryto wśród skamieniałych szczątków, na które w wyniku przypadkowego poślizgnięcia spadł pewien australijski naukowiec. W skamielinie odkryto ptaki, gady, lwy i kangury.

**73** metry wysokości ma podziemny wodospad w szwajcarskiej La Grotte aux Fées (Jaskini Skrzatów).

**2000** obiektów naliczono na naskalnych malowidłach we francuskiej jaskini Lascaux. Powstały one około 20 tysięcy lat temu i przedstawiają m.in. 364 konie i 90 jeleni.

**8,2** kilometra płynie systemem jaskiń pod ziemią filipińska rzeka Puerto Princesa.

**603** metry głębokości ma przepaść w słoweńskiej jaskini Vrtoglavica. To niemal dwukrotna wysokość paryskiej Wieży Eiffela.

**272** stopnie trzeba pokonać w drodze do jaskiń Batu w Malezji. Po drodze turystom często towarzyszą małpy.

**30** miast złożonych z mieszkalnych jaskiń można zwiedzać w tureckiej Kapadocji. Skały są tu tak miękkie, że tysiące lat temu ludzie zaczęli w nich wykuwać domy. Część z nich nadal jest zamieszkana, a niektóre nawet zamieniono w hotele.

**35** dni spędził w jaskini Francuz Jean-Luc Josuat, gdy zgubił drogę. Przeżył w całkowitej ciemności, żywiąc się drewnem i gliną, aż w końcu przypadkiem znalazła go trójka nastoletnich grotołazów.

**319** metrów pod lustrem wody leży dno jeziora powstałego w zapadlisku pod El Zacatón w Meksyku. Dopiero w 2007 roku geologom udało się dotrzeć do dna słynnego, niewiarygodnie głębokiego zbiornika.

**67** metrów pod ziemią znajduje się motel Grand Cavern. W pokoju można znaleźć łóżka, sofę, stół, krzesła, łazienkę – wszystko, czego się oczekuje od motelu.

# Gniew przyrody

**1170** stopni Celsjusza to temperatura, jaką osiąga wypływająca z wulkanu lawa – dość by stopić większość metali.

**65 000** metrów sześciennych wody (mogących wypełnić 26 basenów olimpijskich) na sekundę płynęło korytem Missisipi podczas powodzi w 1927 roku.

**12 700** kilometrów przebył w 1966 roku huragan Faith. Zaczął się u wybrzeży Afryki i przetoczył się przez cały Atlantyk.

**5** kategorii huraganów odróżnia skala Saffira-Simpsona oparta na prędkości wiatru. Podczas huraganu najgorszej, czyli piątej kategorii wiatr wieje z prędkością ponad 250 kilometrów na godzinę.

**130 000** kilometrów kwadratowych, czyli odpowiednik przeszło jednej trzeciej obszaru Polski, zalały wody chińskiej Żółtej Rzeki, gdy wystąpiła z brzegów w 1887 roku.

**800** kilometrów na godzinę to prędkość fal tsunami na otwartym oceanie.

**1550** metrów niższa zrobiła się Góra Tambora w Indonezji, gdy w 1815 roku wybuchł wulkan na jej szczycie. Przed erupcją liczyła 4300 metrów n.p.m., po wybuchu ma już tylko 2851 metrów.

**398** metrów w powietrzu przeleciał 19-latek Matt Suter porwany przez tornado w 2006 roku. Przeżył tę przygodę i mógł ją opowiedzieć.

**2 miliony** hektarów australijskiego buszu w stanie Wiktoria strawił pożar w 1939 roku. Ze względu na skalę nazwano go Czarnym Piątkiem.

**75 miliardów** dolarów to szacowane straty, jakie spowodował niszczycielski huragan Katrina w 2005 roku.

**5** liter nie stosuje Światowa Organizacja Meteorologiczna na początku nazw huraganów z powodu ograniczonej liczby dostępnych imion. Nieużywane litery to Q, U, X, Y oraz Z.

**14** nadbrzeżnych państw znalazło się w zasięgu śmiertelnie groźnego tsunami wywołanego przez trzęsienie ziemi pod Oceanem Indyjskim 26 grudnia 2004 roku. W tej katastrofie zginęło ponad 200 tysięcy ludzi.

**250 milionów** wywrotek byłoby potrzebnych do wywiezienia skał, które osunęły się po erupcji ze zboczy wulkanu St. Helens w amerykańskim stanie Washington.

**130** kilometrów na godzinę to prędkość, jaką osiąga lodowo-śniegowa masa już w 5 sekund od ruszenia lawiny.

**90** procent wszystkich trzęsień ziemi na świecie występuje na obrzeżach Oceanu Spokojnego, stąd ich nazwa – Pierścień Ognia.

**830 000** osób to szacowana liczba ofiar gigantycznego trzęsienia ziemi w chińskiej prowincji Shansi w 1556 roku. Uważa się, że była to najtragiczniejsza katastrofa w historii.

**32** kilometry – na taką wysokość wulkan Novarupta na Alasce wyrzucił do atmosfery popioły podczas wybuchu w 1912 roku. To przeszło dwa razy wyżej od pułapu, na jakim latają samoloty pasażerskie.

**4800** kilometrów – z takiej odległości można było usłyszeć huk wybuchu indonezyjskiego wulkanu Krakatau w 1883 roku, uznawanego za najgłośniejszy hałas w dziejach.

**148** tornad przeszło przez 13 amerykańskich stanów w dniach 3–4 kwietnia 1974 roku. W wyniku takiego nagromadzenia nawałnic zginęło 330 osób.

**2** mieszkańców miasta Saint--Pierre na karaibskiej Martynice przeżyło w 1902 roku wybuch wulkanu Montagne Pelée. Jednym z nich był pensjonariusz więzienia, zamknięty w celi z grubych kamieni. Zginęło przeszło 20 tysięcy osób.

**93** procent ludzi zasypanych przez lawiny ma szanse na przeżycie, jeśli zostaną odkopani w ciągu 15 minut.

**4**, czyli wszystkie silniki Boeinga 747 linii British Airways zgasły w 1982 roku wskutek zatkania przez popioły wulkaniczne. Kapitan Eric Moody, pilotujący samolot, zachował spokój i przez 15 minut ostrożnie szybował, aż silniki ponownie zaskoczyły.

**20** procent spośród około 500 000 trzęsień ziemi, zdarzających się rocznie na świecie, jest wyczuwalnych dla ludzi. Tylko około 100 spośród nich powoduje szkody.

**1500** kilometrów średnicy miał potężny huragan Sandy z 2012 roku.

**50** metrów wysokości osiągnął w ciągu zaledwie 24 godzin stożek wulkanu Paracutin, który wyrósł na polu kukurydzy w Meksyku w 1943 roku. Przez następny tydzień wskutek kilku erupcji powiększył dwukrotnie wysokość, a 9 lat później doszedł do 424 metrów.

**0–5** to zakres skali Fujity, która mierzy tornada na podstawie wywoływanych zniszczeń. Tornado F5 potrafi zrównywać domy z ziemią i unosić pojazdy w powietrze.

**2 miliony** boisk do piłki nożnej to odpowiednik obszaru, jaki co roku w samych tylko Stanach Zjednoczonych trawią pożary.

**1717** tornad przeszło przez Stany Zjednoczone w rekordowym 2004 roku.

# Świat sportu

**2,7 miliona** bananów zjedli niepełnosprawni sportowcy podczas Paraolimpiady w 2012 roku.

**6** gramów złota zawiera obecnie medal za zwycięstwo na igrzyskach olimpijskich. Reszta kruszcu to srebro z domieszką miedzi.

**10** centymetrów szerokości ma gimnastyczna równoważnia. Sportowcy wykonują skoki i przewroty tak, by na niej wylądować.

**183** gemy rozegrali tenisiści John Isner i Nicolas Mahut podczas turnieju w Wimbledonie w 2010 roku. Ostatecznie, trwający ponad 11 godzin, mecz wygrał Isner.

**49** kilogramów to minimalna waga kobiety, którą mężczyzna niesie w ramionach po torze przeszkód podczas Mistrzostw Świata w Noszeniu Żon Na Rękach.

**106,7** centymetra wysokości mają płotki rozstawione na 110-metrowej bieżni konkurencji mężczyzn. W przypadku kobiet tor ma długość 100 metrów, a płotki 83,8 centymetra wysokości.

**2** sekundy od rozpoczęcia meczu strzelił gola ze środka boiska 21-letni saudyjski piłkarz Nawaf Al Abed w 2009 roku.

**7,26** kilograma waży metalowy ciężarek używany w konkurencji pchnięcia kulą. Mieszcząca się w dłoni kula waży tyle, co dwie cegły.

**22** bile (kule bilardowe) układa się do rozbicia na stole do snookera – 15 czerwonych, 6 kolorowych i 1 białą, zwaną rozgrywającą.

**105,4** okrążenia stadionu (po 400 metrów każde) potrzeba, by ukończyć dystans maratoński.

**10** minut po tym, jak Leroy Rosenoir został w 2007 roku menedżerem klubu piłkarskiego Torquay United, zwolniono go. W tym czasie klub został sprzedany, a nowy właściciel zatrudnił własnego menedżera.

**31** bramek zdobyła Australia, rozbijając w 2001 roku zespół Samoa Amerykańskiego w eliminacjach do mistrzostw świata. Australijski napastnik Archie Thompson strzelił 13 goli.

**149** bramek samobójczych strzelili zawodnicy madagarskiego klubu Stade Olympique L'Emyrne w meczu przeciwko sąsiedzkiej drużynie A.S. Adema w 2002 roku.

**2,7** grama waży piłeczka do tenisa stołowego. Czołowi zawodnicy uderzają ją z prędkością ponad 80 kilometrów na godzinę.

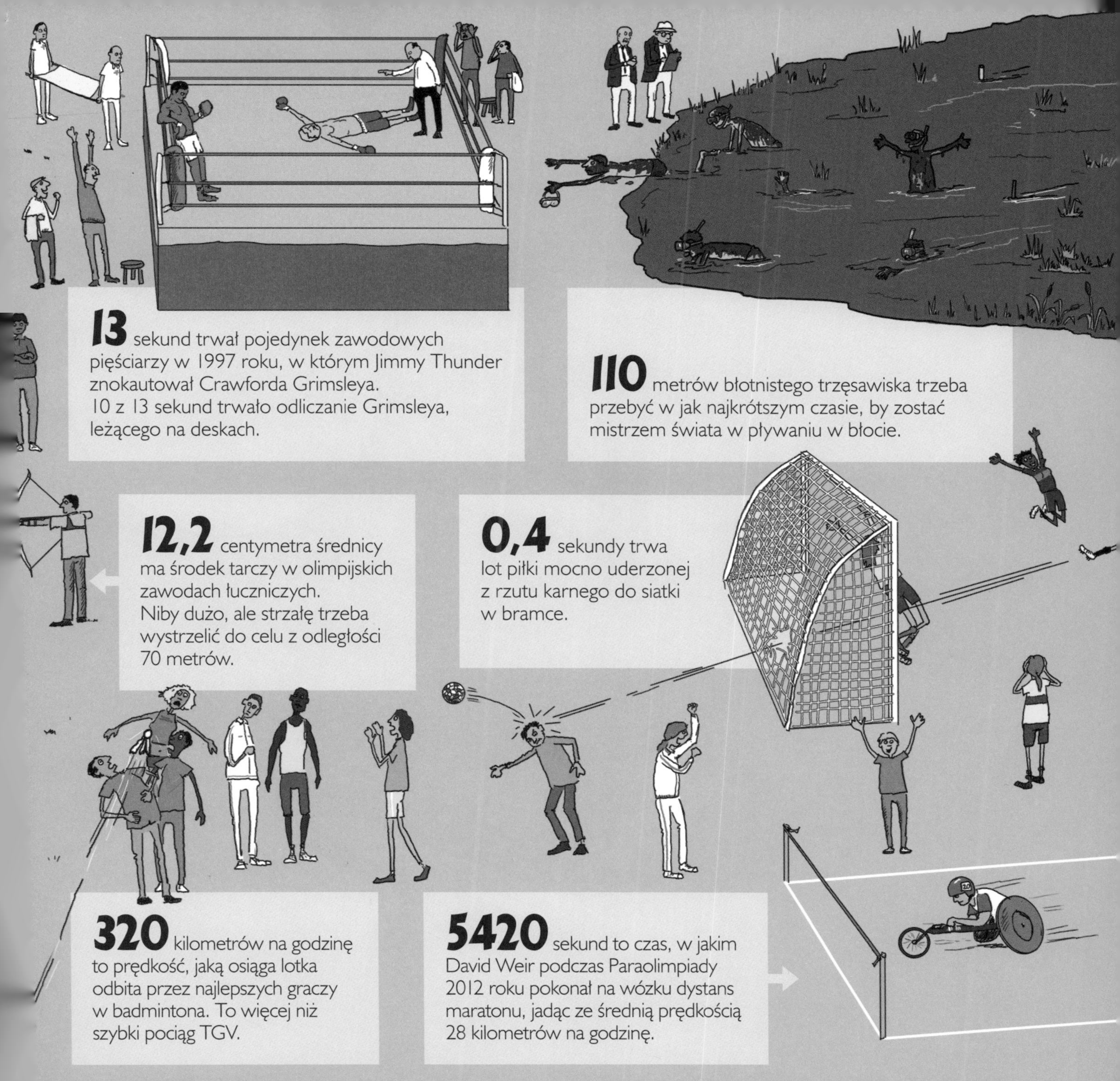

**13** sekund trwał pojedynek zawodowych pięściarzy w 1997 roku, w którym Jimmy Thunder znokautował Crawforda Grimsleya.
10 z 13 sekund trwało odliczanie Grimsleya, leżącego na deskach.

**110** metrów błotnistego trzęsawiska trzeba przebyć w jak najkrótszym czasie, by zostać mistrzem świata w pływaniu w błocie.

**12,2** centymetra średnicy ma środek tarczy w olimpijskich zawodach łuczniczych.
Niby dużo, ale strzałę trzeba wystrzelić do celu z odległości 70 metrów.

**0,4** sekundy trwa lot piłki mocno uderzonej z rzutu karnego do siatki w bramce.

**320** kilometrów na godzinę to prędkość, jaką osiąga lotka odbita przez najlepszych graczy w badmintona. To więcej niż szybki pociąg TGV.

**5420** sekund to czas, w jakim David Weir podczas Paraolimpiady 2012 roku pokonał na wózku dystans maratonu, jadąc ze średnią prędkością 28 kilometrów na godzinę.

**54 250** piłek tenisowych zużywa się w trakcie trwającego 2 tygodnie słynnego turnieju na kortach Wimbledonu w Anglii. Piłki zmienia się na nowe po pierwszych 7 gemach każdego meczu, a następnie co 9 gemów.

**6,1** metra długości miał zwycięski skok konia Extra--Dry w trakcie – rozgrywanej wtedy po raz pierwszy i ostatni – konkurencji skoku w dal na koniu podczas Igrzysk Olimpijskich 1900 roku.

**700** minut trwał pojedynek zapaśniczy w półfinale Igrzysk Olimpijskich 1912 roku. Zwycięzcą został Martin Klein, ale był tak wyczerpany, że zrezygnował z walki w finale, zadowalając się srebrnym medalem.

**6** graczy liczą zespoły w meczu Octopush rozgrywanym na basenie o długości 25 metrów. Gra jest podobna do hokeja, z tym że zamiast na lodzie toczy się na dnie basenu.

**3,75 miliona** litrów wody (odpowiednik 46 875 pełnych wanien) potrzeba do wypełnienia basenu olimpijskiego, który ma 50 metrów długości.

**15** kilogramów kiełbasy wart był nietypowy transfer, w ramach którego rumuński piłkarz Marius Cuoara przeszedł do klubu Regal Hornia w 2006 roku.

# Podróże w Kosmos

**120** sekund od chwili startu wahadłowiec kosmiczny znajduje się już około 45 kilometrów nad Ziemią.

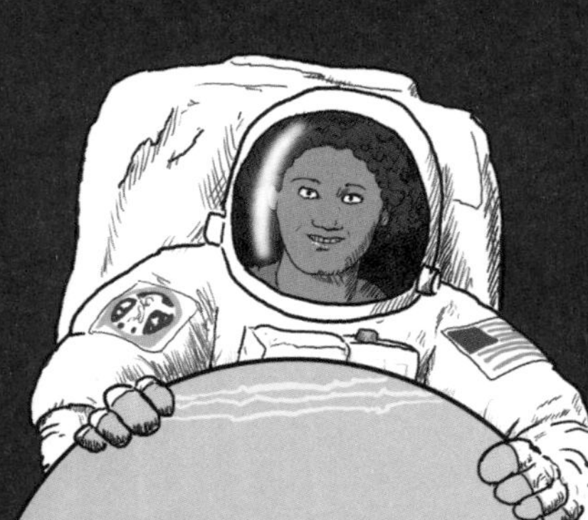

**536** minut – tyle trwał spacer w przestrzeni kosmicznej dwojga astronautów. Nazywali się Susan Helms i Jim Voss.

**135** misji kosmicznych wykonała flota wahadłowców NASA w latach 1981–2011.

**826,72 miliona** kilometrów to zsumowane podróże wszystkich wahadłowców NASA – mniej więcej taka odległość dzieli Ziemię od Jowisza.

**13 000** osób złożyło aplikację, by zostać pierwszym brytyjskim astronautą. Zwyciężyła Helen Sharman, 27-letnia specjalistka od chemii, która w 1991 roku po półtorarocznym szkoleniu poleciała w kosmos na pokładzie rosyjskiego statku Sojusz.

**569** kilometrów nad powierzchnią Ziemi orbituje Kosmiczny Teleskop Hubble'a wystrzelony w 1990 roku.

**400 171** kilometrów to największa odległość od Ziemi, na jaką poleciał człowiek. Osiągnęła ją załoga statku Apollo 13 w 1970 roku.

**3941** kilogramów paliwa na sekundę spalał podczas startu silnik rakiety kosmicznej Saturn V.

**18,4 miliarda** kilometrów od Ziemi znajduje się sonda kosmiczna Voyager 1. Wysłano ją w 1977 roku, a do końca 2012 roku pokonała już 123-krotność odległości Ziemi od Słońca.

**3630** kilogramów żywności trzeba zabrać na Międzynarodową Stację Kosmiczną, by wykarmić 3 astronautów podczas półrocznego pobytu.

**162** wyjść astronautów w przestrzeń kosmiczną wymagała budowa i konserwacja Międzynarodowej Stacji Kosmicznej.

**14 milionów** funtów zapłacił Dennis Tito za pierwszą turystyczną podróż w kosmos. W 2001 roku Tito spędził 8 dni na pokładzie Międzynarodowej Stacji Kosmicznej w ramach misji rosyjskiej.

**424** kilobajty pamięci miały (zaledwie) komputery wahadłowców kosmicznych. To tysiące razy mniej niż pamięć podręczna współczesnych telefonów komórkowych.

**65 000** części potrzeba było do zbudowania sondy kosmicznej Voyager 1 wystrzelonej w 1977 roku. Niemal wszystkie działają do tej pory!

**108** minut spędził w przestrzeni kosmicznej pierwszy astronauta Jurij Gagarin. Jego statek wystrzelony w 1961 roku nazywał się Wostok 1.

**18** metrów więcej niż Statua Wolności miały ogromne rakiety Saturn V, których używano podczas misji Apollo do lotów na Księżyc.

**36** lat po swej pierwszej podróży kosmicznej w 1962 roku, John Glenn został w wieku 77 lat najstarszym astronautą na pokładzie wahadłowca.

**3,5 miliarda** kilometrów przeleciała sonda kosmiczna Cassini w drodze do Saturna. To przeszło 20-krotność odległości Ziemi od Słońca.

**23** dania – między innymi potrawkę z gołębia i kaczkę w karczochach – podano na wykwintnej uczcie serwowanej na pokładzie stacji kosmicznej Mir w 1988 roku.

**6.00** to godzina, o której astronautów na Międzynarodowej Stacji Kosmicznej budzi sygnał z Ziemi. Kosmos jest raczej dla skowronków!

**120** gigabajtów naukowych danych przesyła na Ziemię co tydzień Kosmiczny Teleskop Hubble'a – zadrukowane nimi książki zajęłyby przeszło kilometr półek.

**91,5** metra rurek rozprowadza płyn chłodzący w kombinezonie służącym astronautom do wyjścia w przestrzeń kosmiczną.

**19 000** kosmicznych śmieci krąży wokół Ziemi, w tym zgubiona rękawica astronauty, różne śrubki, nakrętki oraz kawałki nieczynnych satelitów.

**12** metrów – taką wysokość lotu osiągnęła pierwsza rakieta na paliwo ciekłe wystrzelona w 1926 roku.

**35 000** kilometrów na godzinę to maksymalna prędkość, jaką osiągnęła pierwsza rakieta Ariane V, wystrzelona w 1999 roku. Była jakieś 100 razy szybsza od najlepszych sportowych wozów.

**803** dni to rekord pobytu człowieka w przestrzeni kosmicznej. Siergiej Krikaliow odbył dwa loty na stację Mir, dwa loty wahadłowcem, plus jedną misję na pokładzie Międzynarodowej Stacji Kosmicznej.

**400** dorosłych afrykańskich słoni waży tyle, co załadowana paliwem rakieta Saturn V – około 2,8 miliona kilogramów.

# Święta i zabawy

**12** dni trwały dawniej obchody chrześcijańskich świąt Bożego Narodzenia – pierwszym dniem był 25 grudnia, a ostatnim 6 stycznia.

**100 milionów** ludzi zjeżdża się na trwające 55 dni hinduskie święto Kumbh Mela, które obchodzone jest raz na 12 lat nad brzegami Gangesu w Allahabadzie.

**1** miesiąc postu od wschodu do zachodu słońca to muzułmański Ramadan. Na koniec świętuje się Id al-Fitr, czyli dzień zakończenia postu.

**200 000** ludzi bierze udział w dorocznej paradzie z okazji Dnia Św. Patryka w Nowym Jorku.

**300** szkół tańca bierze udział w paradzie karnawałowej w brazylijskim Rio.

**63,1** metra długości miała ogromna zabawka bożonarodzeniowa, tzw. cracker, którą angielscy uczniowie rozerwali w 2001 roku.

**7000** fanów zbiera się co roku na wyścigi karaluchów w australijskim mieście Brisbane.

**50 000** wielbłądów można obejrzeć na dorocznym targu w Indiach. Zwierzęta są na tę okazję specjalnie ozdabiane przez właścicieli.

**500 000** pączków sprzedaje się w Nowym Orleanie podczas ostatków, zwanych tu Mardi Gras. W pączkach ukryte są maleńkie figurki. Kto je odnajdzie, zostaje ostatkowym królem, musi kupić następnego pączka i zorganizować innym zabawy.

**8** dni trwa żydowskie święto Chanuka. W specjalnym świeczniku o 9 ramionach rytualnie zapala się od środkowej świecy, zwanej szamasz, kolejne świece w następne dni.

**1** spośród wielu milionów indyków zjadanych przez Amerykanów w Święto Dziękczynienia ma szczęście. Co roku Stowarzyszenie Hodowców Indyków przekazuje żywego indyka do Białego Domu, a prezydent zwyczajowo go ułaskawia. Ptak spędza resztę życia na komfortowej farmie.

**1000** pochodni jest niesionych przez miasto podczas święta Up Helly Aa na Wyspach Szetlandzkich u wybrzeży Szkocji. Na koniec pochodnie wrzuca się do łodzi Wikingów, a zgromadzony tłum podziwia jej pożar.

**8000** rewolucjonistów zdobyło 14 lipca 1789 roku Bastylię, paryskie więzienie, rozpoczynając tym Francuską Rewolucję. 14 lipca jest dziś świętem narodowym Francji.

**1 milion** latawców puszcza się w czasie hinduskiego święta w mieście Ahmedabad.

**12** zwierząt służy do oznaczania kolejnych lat chińskiego cyklu. Są to: Szczur, Bawół, Tygrys, Królik, Smok, Wąż, Koń, Koza, Małpa, Kogut, Pies i Świnia.

**4** dni trwają obchody Songkran, czyli tajlandzkiego Nowego Roku. Ponieważ tradycja nakazuje z tej okazji oblewać ludzi wodą, jest to też czas wielkiego dyngusa w całym kraju.

**2 miliony** ludzi przyjeżdżają do koreańskiego miasta Boryeong na najbardziej tu popularne Święto Błota. Można wybierać spośród licznych rozrywek, jak zjeżdżanie po błocie, narciarstwo błotne, maraton w błocie. Jeśli nie jesteś typem sportowca, możesz się po prostu w błocie taplać.

**1 milion** turystów ogląda co roku w kanadyjskim mieście Calgary trwające 10 dni, największe na świecie pokazy rodeo Stampede.

**120** metrów długości i 48 metrów wysokości osiągają niektóre rzeźby lodowe podczas Święta Lodu w chińskim Harbin. Zmrożone dzieła sztuki przyjeżdża podziwiać przeszło 13 milionów ludzi.

**29 381** dyniowych latarni zapalono naraz podczas Święta Dyni w 2012 roku w amerykańskim stanie New Hampshire. Kunsztownie rzeźbione dynie umieszczono w spektakularnie świecącej wieży.

**77 282** fajerwerki odpalono w 2012 roku dla uczczenia 50. rocznicy powstania Kuwejtu.

**700** balonów na gorące powietrze żegluje w powietrzu podczas największego zjazdu baloniarzy w amerykańskim Albuquerque.

**30 000** drzewek wiśniowych pokrywa zbocza góry Joszino-jama. To jedno z najlepszych miejsc do obchodzenia Święta Kwitnącej Wiśni, gdyż tradycja nakazuje biesiadę pod kwitnącym drzewem.

**2** osoby – Napoleon i Mussolini – próbowały zakazać karnawału w Wenecji, bezskutecznie. W lutym na ulice miasta wychodzą ludzie w przepięknych strojach i maskach.

**5.** dnia piątego miesiąca w chińskim kalendarzu lunarnym przypada Święto Smoczych Łodzi. Kulminacyjnym punktem obchodów jest wyścig długich łodzi z głową smoka na dziobie, które miewają nawet 30 metrów długości i mieszczą 80 wioślarzy.

**20 000** ludzi zbiera się co roku w noc przesilenia letniego przy prehistorycznych ruinach Stonehenge w Anglii, by doczekać wschodu słońca.

**2000** małp korzysta z jedzenia wystawianego dla nich podczas tajlandzkiego święta. Miejscowi karmią w tym dniu małpy żyjące na co dzień w świątyni Pra Prang Sam Yot.

# Liczby

**8** uważa się za szczęśliwą liczbę w Chinach. Część Chińczyków woli dopłacić, byle mieć w numerze telefonu szczęśliwą ósemkę.

**4** to pechowa cyfra na Dalekim Wschodzie. Po japońsku wymowa 4 brzmi podobnie jak słowa „śmierć", stąd złe skojarzenia w Japonii, Korei i Chinach.

**0** jako cyfra przez długi czas nie było znane. W obecnym rozumieniu zero zostało wymyślone w Indiach około 900 roku.

**0,01** sekundy to jednostka czasu, którą określono w elektronice jako „jiffy" (momencik).

**7** to liczba, do której sumują się oczka z każdych dwóch przeciwległych ścian kostki do gry.

**13** jest uznawane w świecie zachodnim za pechową liczbę przez tak wielu ludzi, że irracjonalny lęk przed nią ma własną nazwę – triskaidekafobia.

**666** w kulturze zachodniej jest synonimem zła, gdyż wiąże się z biblijnym szatanem. W Azji jednak wymowa 666 brzmi podobnie jak „dobrze się dzieje", dlatego ta liczba uważana jest za szczęśliwą.

**12 345 678 987 654 321** to wynik przemnożenia 111 111 111 przez 111 111 111. Co ciekawe, liczba ta składa się z kolejnych cyfr od 1 do 9 i z powrotem do 1.

**1** z googolem zer to liczba zwana googolplex. Niemożliwe jest zapisanie jej w systemie dziesiętnym, gdyż ilość znaków byłaby większa od szacowanej liczby atomów we Wszechświecie.

**∞** to symbol nieskończoności, czyli czegoś pozbawionego granicy lub liczby pozbawionej końca.

**31 688** lat trwałoby odliczanie bez chwili przerwy od zera do jednego tryliona.